义务教育教科书

SHU　XUE

数学

七年级　上册

主　编　马复

副主编　史炳星　章飞

本册主编　顾继玲

北京师范大学出版社

·北京·

基础教育教材网址 http://www.100875.com.cn

绿色印刷　保护环境　爱护健康

亲爱的同学：

　　你手中的这本教科书采用绿色印刷方式印制，在它的封底印有"绿色印刷产品"标志。从2013年秋季学期起，北京地区出版并使用的义务教育阶段中小学教科书全部采用绿色印刷。

　　按照国家环境标准（HJ2503–2011）《环境标志产品技术要求 印刷 第一部分：平版印刷》，绿色印刷选用环保型纸张、油墨、胶水等原辅材料，生产过程注重节能减排，印刷产品符合人体健康要求。

　　让我们携起手来，支持绿色印刷，选择绿色印刷产品，共同关爱环境，一起健康成长！

北京市绿色印刷工程

出版发行：北京师范大学出版社　www.bnupg.com
　　　　　北京新街口外大街19号
　　　　　邮政编码：100875
印　　刷：北京联兴盛业印刷股份有限公司
经　　销：全国新华书店
开　　本：184 mm × 260 mm
印　　张：13.25
字　　数：320千字
版　　次：2013年6月第2版
印　　次：2014年6月第3次印刷
定　　价：12.75元
ISBN 978–7–303–14765–6
GS（2012）852号

责任编辑：王永会　王建波　　　装帧设计：王　蕊
责任校对：李　菡　　　　　　　责任印制：李　啸　窦春香

走进数学新天地

　　亲爱的同学，祝贺你步入了一个新的学习起点，你会越来越走近数学！

　　你将很快发现：生活中处处都有数学的身影——家庭、教室里许多物体的形状；生产、消费过程中的各种数字；报刊、电视中呈现的多种数据信息……

　　学习数学会让你不断感受到它的多姿多彩——在丰富的图形世界里，你会见到许多美丽的图形，还能够用它们编织自己喜爱的图案；在抽象的"代数"世界里，奇妙的字母 a 既可以帮助你方便地表达无数多的研究对象，也会让你遭遇令人"烦恼"的运算；在整理各种各样统计数据的过程中，你会发现许多有趣的现象和有用的信息……

　　学好数学会让自己变得越来越聪明——学了"整式"和"方程"，你就会解开许多奇妙游戏的谜底，还能够体验一个小魔术师的感受；研究古老的幻方、分析人口老龄化现象、亲手设计一个"最大"的长方体盒子，你会觉得自己越来越有本领，许多以前不会做的事情、不能解的题，现在都能解决了.

　　你可能曾经因为品尝到成功的喜悦而喜爱数学，因为遭遇到失败而畏惧数学，甚至因为面临智力的挑战而对数学爱恨交加……事实上，这些都是每一个学习数学的人一定会经历的过程，包括那些成功的数学家们.

　　我们和你一样相信学好数学是需要掌握方法的，你可以尝试着自己想一想、做一做，再与同伴议一议，然后读一读教科书，听一听老师的讲解，再试一试解几个问题.

　　让我们一起走进数学新天地！

目 录 MULU

第一章 丰富的图形世界

第二章 有理数及其运算

第三章　整式及其加减

第四章　基本平面图形

第五章 一元一次方程

第六章 数据的收集与整理

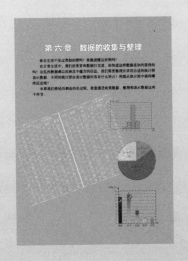

第 一 章　丰富的图形世界

　　观察周围的世界，你会找到许许多多的图形，它们美化了我们生活的空间．下面的照片是城市一角的街景，你能从中发现哪些熟悉的图形？

　　生活中有哪些常见的立体图形？将一个正方体的表面沿某些棱剪开，展开成一个平面图形，你能得到哪些平面图形？用一个平面去截一个圆锥，截出的面可能是什么形状？

　　本章你将经历观察、展开与折叠、切截、从不同方向看等活动，认识图形，发展空间观念．

学习目标

- 发现生活中各种各样的"几何体"
- 通过不同的途径认识常见的几何体
- 学会用数学的眼光看待生活中的立体图形
- 经历对图形进行观察、操作等活动，积累处理图形的经验，发展空间观念请参观我的简易书房.

（1）在小明的书房中，哪些物体的形状与你在小学学过的几何体类似？

（2）请找出上图中与笔筒形状类似的物体.

与上图中笔筒形状类似的几何体称为棱柱.

下面是一些常见的几何体.

圆柱	圆锥	正方体	长方体	棱柱	球
（circular cylinder）	（circular cone）	（cube）	（cuboid）	（prism）	（sphere）

 想一想

（1）六棱柱的顶点、侧棱、侧面和底面如图1-1所示，指出图 1-1 中其他

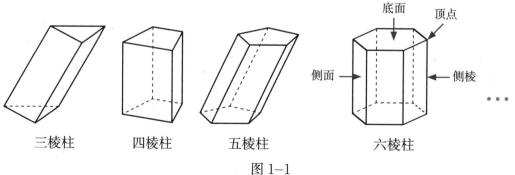

底面　顶点

侧面　侧棱

三棱柱　　四棱柱　　五棱柱　　　　六棱柱

图 1-1

棱柱的顶点、侧棱、侧面和底面.

（2）棱柱的侧棱、底面、侧面分别有什么特点？

（3）长方体、正方体是棱柱吗？

在棱柱中，相邻两个面的交线叫做**棱**（edge），相邻两个侧面的交线叫做**侧棱**. 棱柱的所有侧棱长都相等. 棱柱的上、下底面的形状相同，侧面的形状都是平行四边形.

人们通常根据底面图形的边数将棱柱分为三棱柱、四棱柱、五棱柱、六棱柱……它们底面图形的形状分别为三角形、四边形、五边形、六边形……

长方体、正方体都是四棱柱.

棱柱可以分为直棱柱和斜棱柱（如图 1-2）. 直棱柱的侧面是长方形. 本书只讨论直棱柱（简称棱柱）.

直棱柱   斜棱柱

图 1-2

 议一议

用自己的语言描述棱柱与圆柱的相同点与不同点.

想一想

下面物体可以近似地看成由一些常见几何体组合而成，你能找出其中常见的几何体吗？你还能举出其他组合几何体的例子吗？

（1）   （2）   （3）

图 1-3

随堂练习

1. 说一说生活中哪些物体的形状分别类似于棱柱、圆柱、圆锥与球.

2. 请完成下表:

棱柱	面的个数	顶点的个数	棱的条数
三棱柱			
四棱柱			

习题 1.1

知识技能

1. 五棱柱、六棱柱各有多少个面? 多少个顶点? 多少条棱? 猜测七棱柱的情形并设法验证你的猜测.

2. 一个六棱柱模型如图所示, 它的底面边长都是 5 cm, 侧棱长 4 cm. 观察这个模型, 回答下列问题:

（第 2 题）

　　(1) 这个六棱柱的几个面分别是什么形状? 哪些面的形状、大小完全相同?

　　(2) 这个六棱柱的所有侧面的面积之和是多少?

数学理解

3. 将下列几何体分类, 并说明理由.

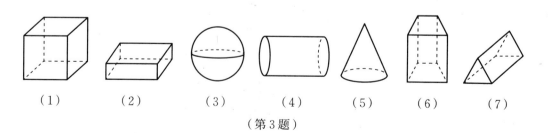

| （1） | （2） | （3） | （4） | （5） | （6） | （7） |

（第 3 题）

4. 找出下列图片中你熟悉的几何体.

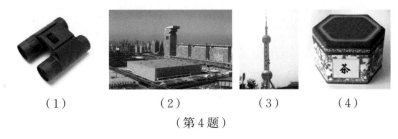

（1）　　　　（2）　　　　（3）　　　　（4）

（第4题）

5. 下列物体可以近似地看成是由什么几何体组成的？

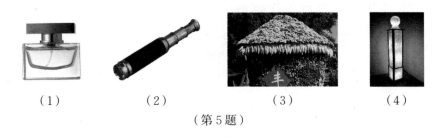

（1）　　　　（2）　　　　（3）　　　　（4）

（第5题）

联系拓广

※6. 圆柱和棱柱有很多相同点，下面的这个几何体也有这样的相同点吗？

（第6题）

图形是由点（point）、线（line）、面（plane）构成的. 面与面相交得到线，线与线相交得到点.

（1）找出图1-4中的点、线、面.

（2）图1-4中的哪些线是直的，哪些线是曲的？哪些面是平的，哪些面是曲的？

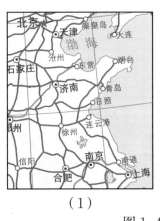

（1）

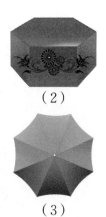

（2）

（3）

图1-4

议一议

（1）六棱柱是由几个面围成的？圆柱是由几个面围成的？它们都是平的吗？

（2）圆柱的侧面和底面相交成几条线？它们是直的还是曲的？

（3）六棱柱有几个顶点？经过每个顶点有几条棱？

想一想

（1）观察下图，你发现了什么？

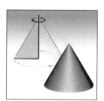

点动成 ___，线动成 ___，___ 动成体.

（2）举出生活中类似以上三幅图的例子.

议一议

（1）圆柱可以看做由哪个平面图形旋转得到？球呢？

（2）图 1-5 中各个花瓶的表面可以看做由哪个平面图形绕虚线旋转一周而得到？用线连一连.

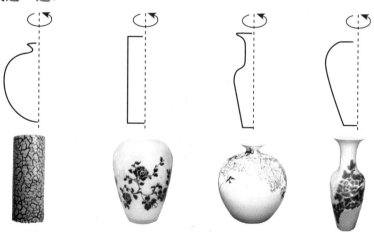

图 1-5

随堂练习

如图，第二行的图形绕虚线旋转一周，便能形成第一行的某个几何体. 用线连一连.

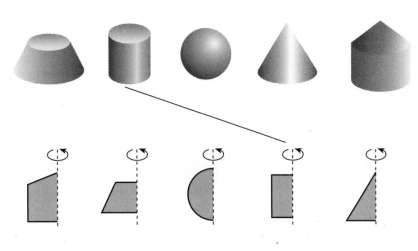

习题 1.2

 知识技能

1. 图中的棱柱、圆锥分别是由几个面围成的？
它们是平的还是曲的？

（第1题）

数学理解

2. 生活中有哪些几何体可以由平面图形旋转而得到？你能想象它们是由什么平面图形旋转而成的吗？举例说明.

※3. 下列几何体可以由平面图形绕其中一条直线旋转一周得到吗？

（1） （2） （3） （4）

（第3题）

② 展开与折叠

在生活中，我们经常见到正方体形状的盒子．为了设计和制作的需要，我们应了解正方体盒子展开后的平面图形．

将纸盒完全展开后形状是怎样的？

 做一做

将一个正方体的表面沿某些棱剪开，展成一个平面图形．

（1）你能得到哪些形状的平面图形？与同伴进行交流．

（2）你能得到图 1-6 中的平面图形吗？

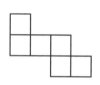

图 1-6

 想一想

图 1-7 中的图形经过折叠能否围成一个正方体？

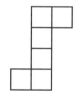
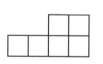

图 1-7

 议一议

图 1-8 中的图形可以折成一个正方体形的盒子．折好以后，与 1 相邻的数是什么？相对的数是什么？先想一想，再具体折一折，看看你的想法是否正确．

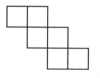

图 1-8

习题 **1.3**

⭐ 数学理解

1. 将一个正方体的表面沿某些棱剪开，能展开成下列平面图形吗？

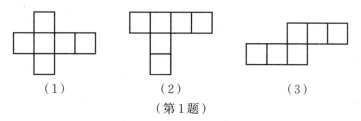

（1）　　　　　（2）　　　　　（3）

（第1题）

2. 下面哪一个图形经过折叠可以得到正方体？

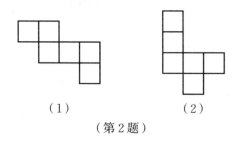

（1）　　　　　　（2）

（第2题）

 问题解决

3. 将正方体的表面分别标上数字1，2，3，4，5，6，使它的任意两个相对面的数字之和为7，将它沿某些棱剪开，能展开成下列的平面图形吗？

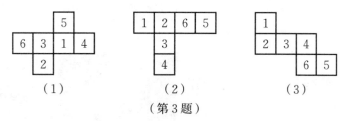

（1）　　　　　　（2）　　　　　　（3）

（第3题）

4. 在图中增加1个小正方形使所得图形经过折叠能够围成一个正方体. 先想一想，再试一试.

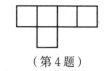

（第4题）

 联系拓广

※**5.** 将正方体的表面沿某些棱剪开，展成一个平面图形，你剪开了几条棱？与同伴进行交流，你们的结果是否一致？

将图 1-9 中的棱柱沿某些棱剪开，展开成一个平面图形，你能得到哪些形状的平面图形？

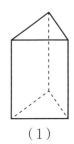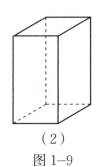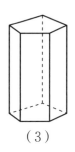

（1）　　　　　（2）　　　　　（3）

图 1-9

 想一想

（1）如图 1-10，哪些图形经过折叠可以围成一个棱柱？先想一想，再折一折．

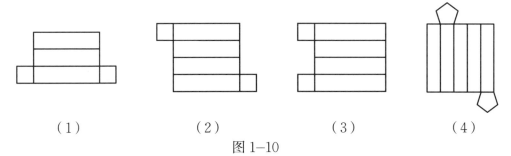

（1）　　　　（2）　　　　（3）　　　　（4）

图 1-10

（2）将图 1-10 中不能围成棱柱的图形作适当修改使所得图形能围成一个棱柱．

 做一做

　　按照如图所示的方法把圆柱、圆锥的侧面展开，会得到什么图形？先想一想，再试一试．

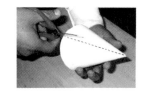

圆柱的侧面展开图是长方形，圆锥的侧面展开图是扇形．

图 1-11

随堂练习

1. 哪种几何体的表面能展开成下面的平面图形？先想一想，再折一折.

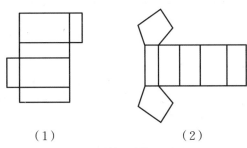

（1）　　　　　　　　　（2）

（第1题）

2. 图中的两个图形经过折叠能否围成棱柱？先想一想，再折一折.

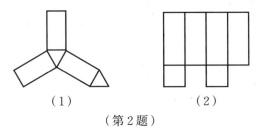

（1）　　　　　　　　　（2）

（第2题）

习题 1.4

知识技能

1. 哪种几何体的表面能展开成如图所示的平面图形？先想一想，再折一折.

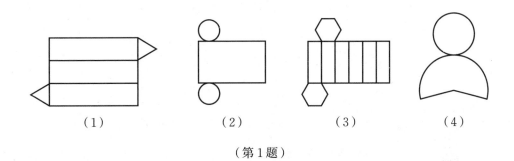

（1）　　　　　（2）　　　　　（3）　　　　　（4）

（第1题）

数学理解

2. 图中的两个图形经过折叠能否围成棱柱? 先想一想, 再折一折.

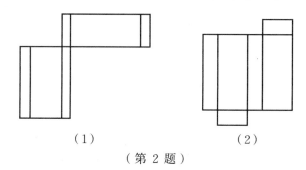

（1）　　　　　　　（2）

（第 2 题）

问题解决

3. 用一张纸片, 通过剪一剪、折一折, 制作一个棱柱形的盒子, 并与同伴进行交流.

③ 截一个几何体

在生活中我们常常需要将一个物体截开，比如，切西瓜、锯木头等.

图 1-12

图 1-13

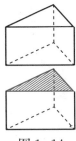

图 1-14

如图1-14，用一个平面去截一个几何体，截出的面叫做**截面**（section）.

 做一做

如图1-15，用一个平面去截正方体，截面分别是什么形状？

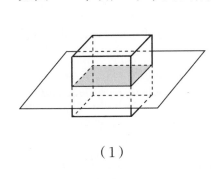

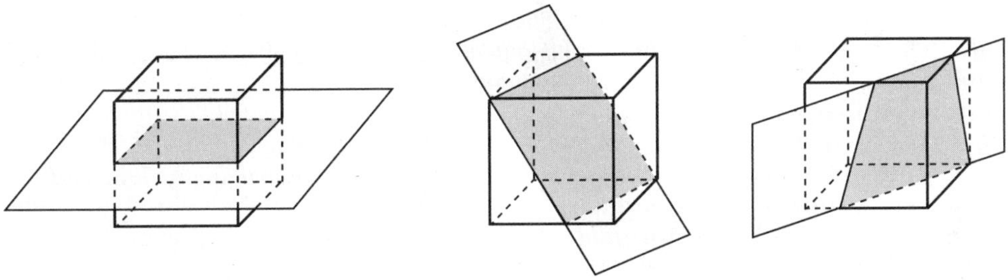

（1）

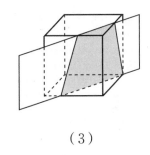

（2）　　　　　　（3）

图 1-15

（1）截面的形状可能是三角形吗？先想一想，再做一做.

（2）截面的形状还可能是几边形？

 想一想

图 1-16 中的截面分别是什么形状？

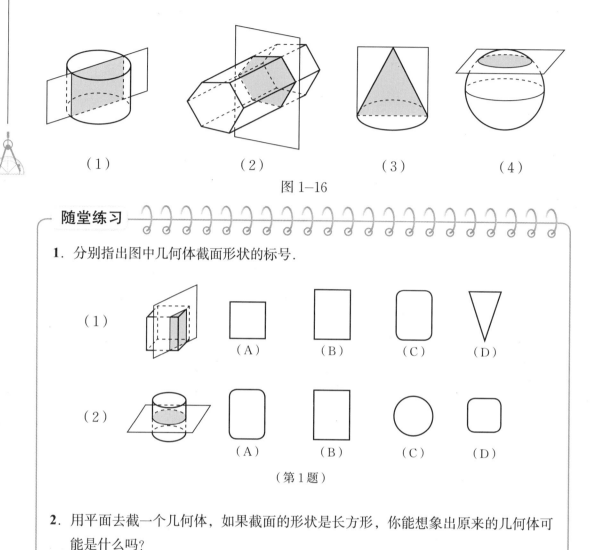

（1）　　　　　（2）　　　　　（3）　　　　　（4）

图 1-16

随堂练习

1. 分别指出图中几何体截面形状的标号.

（1）

（A）　　　（B）　　　（C）　　　（D）

（2）

（A）　　　（B）　　　（C）　　　（D）

（第 1 题）

2. 用平面去截一个几何体, 如果截面的形状是长方形, 你能想象出原来的几何体可能是什么吗?

读一读

生活中的截面

锯开的树木的横断面上有一圈一圈的痕迹, 这就是树木的年轮. 树木的年轮蕴含着大量信息, 如通过年轮的数目可以推算树木的年龄, 通过年轮的宽窄可以了解历年的气候状况等.

树木年轮

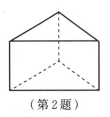

计算机体层成像（computerized tomography，缩写为CT），是用X线束对人体的某一部分按一定厚度的层面进行扫描，然后用检测器测定透射后的放射量，反复多次在不同方向对选定层面进行 X 线扫描，将数字信息通过计算机进行处理，重建人体断层图像，并作出诊断．这就如同数学上的"截几何体"，只不过这里的"截"并不是真正的截．实际上，这里的"几何体"是病人的某个患病器官，"刀"是射线．CT 的发明是医学史上具有划时代意义的一件大事，它的设计、发明者和理论研究者因此获得 1979 年诺贝尔医学奖．

医学上的"虚拟人"则是将成千上万个人体横切面的资料在电脑里进行整合、重建，形成三维立体的人体结构，为医学研究、教学与临床提供形象而真实的模型．

习题 1.5

知识技能

1. 图中各几何体的截面分别是什么形状？

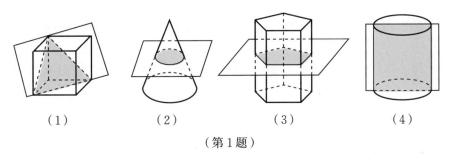

（1） （2） （3） （4）

（第1题）

数学理解

2. 用平面去截一个三棱柱，截面可能是什么形状？先想一想，再做一做．

3. 用平面去截一个几何体，如果截面的形状是圆，你能想象出原来的几何体可能是什么吗？如果截面是三角形呢？

（第2题）

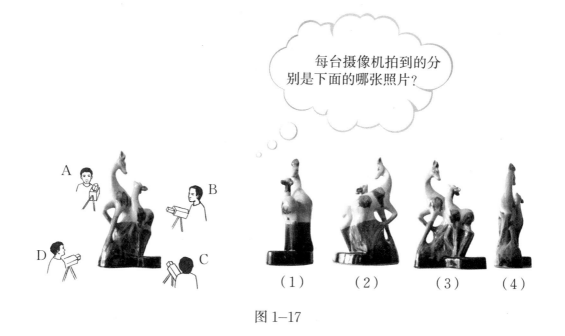

图 1-17

当我们从不同的方向观察同一物体时，通常可以看到不同的图形.

在小学数学中，我们曾经辨认过从正面、左面（或右面）和上面三个不同方向观察同一物体时看到的物体的形状图. 例如，图 1-18 是由小立方块搭成的几何体，从正面、左面、上面看到的几何体的形状图如图 1-19 所示.

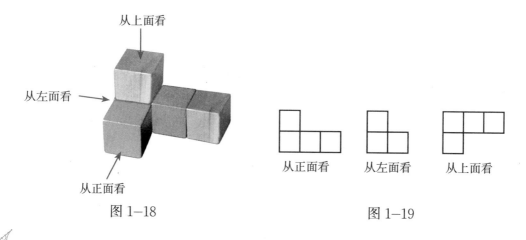

从正面看　　从左面看　　从上面看

图 1-18　　　　　　　　　　图 1-19

做一做

用 6 个小立方块搭成不同的几何体，画出从正面、左面、上面看到的几何体的形状图，并与同伴进行交流.

议一议

一个几何体由几个大小相同的小立方块搭成，从上面和从左面看到的这个几何体的形状图如图 1-20 所示，请搭出满足条件的几何体. 你搭的几何体由几个小立方块构成？与同伴进行交流.

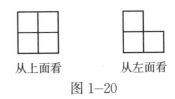

从上面看　　从左面看

图 1-20

随堂练习

从正面、左面、上面观察如图所示的几何体，分别画出你所看到的几何体的形状图.

从正面看

习题 1.6

知识技能

1. 从正面、左面、上面观察如图所示的几何体，分别画出你所看到的几何体的形状图.

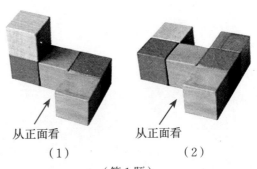

从正面看　　　　　从正面看

（1）　　　　　　　（2）

（第1题）

数学理解

2. 一个小立方块的六个面分别标有字母 A，B，C，D，E，F，从三个不同方向看到的情形如图所示，你能说出 A，B，E 对面分别是什么字母吗？你是怎么判断的？

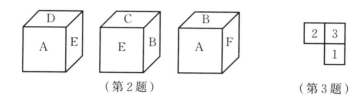

（第2题）

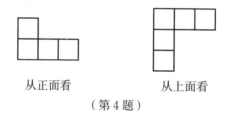

（第3题）

3. 一个几何体由几个大小相同的小立方块搭成，从上面观察这个几何体，看到的形状如图所示，其中小正方形中的数字表示在该位置的小立方块的个数．请画出从正面、左面看到的这个几何体的形状图．

※4. 一个几何体由若干大小相同的小立方块搭成，下图分别是从它的正面、上面看到的形状图，该几何体至少是用多少个小立方块搭成的？

从正面看   从上面看

（第4题）

回顾与思考

1. 生活中有哪些你熟悉的几何体? 请举例说明.

2. 举出一个生活中的物体, 使它尽可能多地包含不同的几何体.

3. 用自己的语言说一说棱柱的特征.

4. 生活中哪些常见的物体可以由平面图形旋转得到?

5. 找出两种几何体, 使得分别用一个平面去截它们, 可以得到三角形形状的截面.

6. 举出一种几何体, 使得从正面、左面、上面看到的这个几何体的形状图都一样. 你能举出几种? 与同伴进行交流.

7. 学了本章后, 你有哪些收获和体会? 与同伴进行交流.

8. 梳理本章内容, 用适当的方式呈现全章知识结构, 并与同伴进行交流.

复习题

 知识技能

1. 图中的几何体由几个面围成? 面与面相交成几条线? 它们是直的还是曲的?

(第1题)

2. 折一折, 连一连.

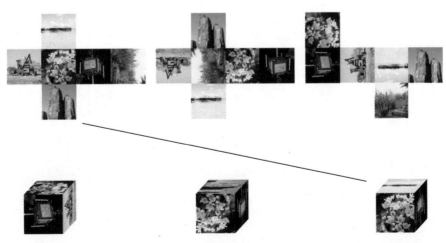

(第2题)

数学理解

3. 图中哪些图形经过折叠可以围成一个棱柱？先想一想，再折一折.

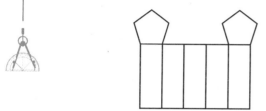　　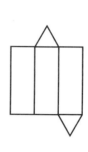　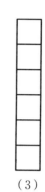

（1）　　　　　　　（2）　　　　　　　（3）

（第3题）

4. 将下图中各几何体的截面用阴影表示出来，并分别指出它们的形状.

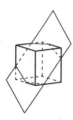　　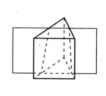　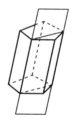

（第4题）

5. 用平面截正方体，截面的形状可以是长方形吗？用平面截长方体，截面的形状可以是正方形吗？与同伴进行交流.

6. 在图中剪去1个小正方形，使得到的图形经过折叠能够围成一个正方体. 先想一想，再试一试.

7. 一个几何体由大小相同的小立方块搭成，从上面看到的几何体的形状图如图所示，其中小正方形中的数字表示在该位置的小立方块的个数. 请画出从正面和从左面看到的这个几何体的形状图.

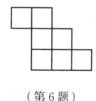　　　　　

（第6题）　　　　（第7题）　　　从正面看　　从上面看

（第8题）

8. 用若干大小相同的小立方块搭一个几何体，使得从正面和从上面看到的这个几何体的形状图如图所示. 根据你所搭的几何体画出从左面看到的它的形状图. 你还能搭出满足条件的其他几何体吗？

问题解决

9. 你能算出如图所示（单位：m）"粮仓"的容积吗？

   $(V_{圆柱} = \pi r^2 h,\ V_{圆锥} = \dfrac{1}{3}\pi r^2 h)$

10. 将一个无盖正方体形状盒子的表面沿某些棱剪开，展开成一个平面图形，你能得到哪些平面图形？动手试一试，并与同伴进行交流.

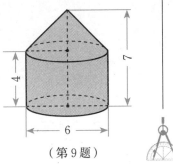

（第9题）

联系拓广

※**11.** 将一个三角尺绕它的一直角边所在直线旋转一周，可以得到一个圆锥. 如果绕它的斜边所在直线旋转一周，所得到的又是什么样的几何体？

第二章 有理数及其运算

观察图片，你能发现有哪些你熟悉的数？你能说出图中 −4 和 −155 的含义吗？

东、西为两个相反方向，如果向东走 5 m 用 +5 m 表示，那么你能用负数来表示向西走 5 m 吗？有了负数，对所有的数怎么分类？−2 和 −3 哪个大？−2 和 −3 能进行加减乘除运算吗？有了负数，又能解决哪些实际问题？

本章将在小学学习的基础上，进一步学习负数，研究有理数的有关概念及其运算，并利用有理数的知识解决实际问题.

全国主要城市天气预报

城市	天气	高温	低温	城市	天气	高温	低温
哈尔滨	小雨	15	6	长春	多云	18	10
沈阳	小雨	19	7	天津	小雨	12	8
呼和浩特	雨夹雪	8	−3	乌鲁木齐	晴	4	−3
西宁	小雪	5	−4	银川	小雪	0	−3
兰州	雨夹雪	3	−3	西安	小雪	16	7
拉萨	多云	15	1	成都	雷阵雨	17	10
重庆	雷阵雨	22	11	贵阳	雷阵雨	23	8

学习目标

○ 进一步认识负数，用有理数表示生活中的量

○ 了解可以用数轴上的点表示有理数，能比较有理数的大小

○ 理解有理数的运算法则，会进行有理数运算

○ 用有理数知识解决一些实际问题

○ 在有理数运算法则的探索过程中，体会转化、归纳等思想方法

珠穆朗玛峰　8 844

$4 - (-3) \rightarrow 4 + 3$

海平面

−155

吐鲁番盆地

单位: m

1 有理数

 答对   答错   不回答

　　某班举行知识竞赛，评分标准是：答对一题加 1 分，答错一题扣 1 分，不回答得 0 分；每个队的基本分均为 0 分．两个队答题情况如下表：

	答题情况
第一队	☺ ☺ ☺ ☺ ☺ ☺ ☹ ☹ ☹ 😐
第二队	☺ ☺ ☺ ☺ ☺ ☺ ☺ ☺ ☹ ☹

　　如果答对题所得的分数用正数表示，那么你能写出每个队答题得分的情况吗？试完成下表：

	答对题的得分	答错题的得分	未回答题的得分
第一队	+6		
第二队		−2	

议一议

　　生活中你见过其他用负数表示的量吗？与同伴进行交流．

2010年全国居民消费价格比上年上涨 3.3%

指　标	全国	城市	农村
居民消费价格	3.3	3.2	3.6
食品	7.2	7.1	7.5
家庭设备用品及维修服务	0.0	−0.1	0.1
医疗保健和个人用品	3.2	3.2	3.2
交通和通信	−0.4	−0.6	0.3
居住	4.5	4.5	4.5

"加分与扣分""上涨量与下跌量""零上温度与零下温度"等都是具有相反意义的量. 为了表示具有相反意义的量，我们可把其中一个量规定为正的，用正数来表示，而把与这个量意义相反的量规定为负的，用负数来表示. 例如，把上涨 3.3% 记为 +3.3%，那么下跌 0.6% 就记为 −0.6%.

例（1）某人转动转盘，如果用 +5 圈表示沿逆时针方向转了 5 圈，那么沿顺时针方向转了 12 圈怎样表示？

（2）在某次乒乓球质量检测中，一只乒乓球超出标准质量 0.02 g 记作 +0.02 g，那么 −0.03 g 表示什么？

（3）某大米包装袋上标注着"净含量：10 kg ±150 g"，这里的"10 kg ±150 g"表示什么？

解：（1）沿顺时针方向转了 12 圈记作 −12 圈；

（2）−0.03 g 表示乒乓球的质量低于标准质量 0.03 g；

（3）每袋大米的标准质量应为 10 kg，但实际每袋大米可能有 150 g 的误差，即每袋大米的净含量最多是 10 kg + 150 g，最少是 10 kg − 150 g.

议一议

选定一个高度作为标准，用正负数表示你们班每位同学的身高与选定的身高标准的差异. 你是怎样表示的？与同伴进行交流.

做一做

将所有学过的数进行分类，并与同伴进行交流.

$$
\text{整数（integer）}
\begin{cases}
\text{正整数：如 } 1,\ 2,\ 3,\ \cdots \\
\text{零 : } 0 \\
\text{负整数：如 } -1,\ -2,\ -3,\ \cdots
\end{cases}
$$

$$
\text{分数（fraction）}
\begin{cases}
\text{正分数：如 } \dfrac{1}{2},\ \dfrac{1}{3},\ 5.2,\ \cdots \\
\text{负分数：如 } -\dfrac{1}{5},\ -3.5,\ -\dfrac{5}{6},\ \cdots
\end{cases}
$$

整数与分数统称为**有理数**（rational number）.

随堂练习

1. （1）如果零上 $5\,℃$ 记作 $+5\,℃$，那么零下 $3\,℃$ 记作什么？

   （2）东、西为两个相反方向，如果 $-4\,\mathrm{m}$ 表示一个物体向西运动 $4\,\mathrm{m}$，那么 $+2\,\mathrm{m}$ 表示什么？物体原地不动记作什么？

   （3）某仓库运进面粉 $7.5\,\mathrm{t}$ 记作 $+7.5\,\mathrm{t}$，那么运出面粉 $3.8\,\mathrm{t}$ 应记作什么？

2. 所有的正数组成正数集合，所有的负数组成负数集合，所有的整数组成整数集合，所有的分数组成分数集合．请把下列各数填入相应的集合中：

$$3,\ -7,\ -\frac{2}{3},\ 5.\dot{6},\ 0,\ -8\frac{1}{4},\ 15,\ \frac{1}{9}.$$

正数集合：$\{$ $\cdots\}$

负数集合：$\{$ $\cdots\}$

整数集合：$\{$ $\cdots\}$

分数集合：$\{$ $\cdots\}$

读一读

负数小史

在人类生活中，早就存在着收入与支出、赢利与亏本等具有相反意义的现象．中国是最早采用正负数表示相反意义的量，并进行负数运算的国家．有关正负数的概念和运算法则的系统论述，记载于我国古代数学名著《九章算术》一书中，书中明确提出"正负术"，这是世界上至今发现的最早最详细的记载．公元3世纪，我国数学家刘徽在"正负术"的注文中指出："今两算得失相反，要令正、负以名之．正算（筹）赤，负算（筹）黑，否则以邪正为异．"就是说，对两个得失相反的量，要以正、负加以区别．用红筹表示正，黑筹表示负，也可将算筹正放、斜放来区别．

在国外，负数概念的建立和使用，经历了一个曲折的过程．印度在公元7世纪出现了负数概念，并有了负数的运算，不过他们总把负数解释为负债．欧洲的数学家迟迟不承认负数，认为零是最小的数，而比零还小的数是不可思议的．欧洲最早承认负数的是17世纪法国数学家笛卡儿（René Descartes，1596—1650），他承认解方程中出现的负根，不过他称之为"假根"．直到19世纪，负数在欧洲才获得普遍承认．

 知识技能

1. 举出几对具有相反意义的量，并分别用正负数表示.

2. （1）如果节约 $20\,\text{kW·h}$ 电记作 $+20\,\text{kW·h}$，那么浪费 $10\,\text{kW·h}$ 电记作什么？

（2）如果 -20.50 元表示亏本 20.50 元，那么 $+100.57$ 元表示什么？

（3）如果 $+20\%$ 表示增加 20%，那么 -6% 表示什么？

3. 下列各数中，哪些是正整数？哪些是负整数？哪些是正分数？哪些是负分数？哪些是正数？哪些是负数？

$$7,\ -9.25,\ -\frac{9}{10},\ -301,\ \frac{4}{27},\ 31.25,\ \frac{7}{15},\ -3.5.$$

4. 任意写出 5 个正数和 5 个负数，并分别把它们填入所属的集合内：

正数集合：$\{$　　　　　 $\cdots\}$；

负数集合：$\{$　　　　　 $\cdots\}$.

数学理解

5. 小丽说："一个数，如果不是正数，必定就是负数."你认为她说得对吗？为什么？

6. 某班 8 名同学的体重（单位：kg）分别为：

$$52,\ 51.5,\ 49.5,\ 50.5,\ 45,\ 56,\ 47.5,\ 42.5.$$

你能设定一个标准用正负数表示他们的体重吗？

② 数轴

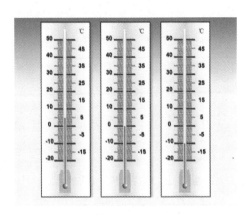

（1）图中温度计上显示的温度各是多少?

（2）温度计上的刻度有什么特点?

画一条水平直线，在直线上取一点表示 0（叫做原点，origin），选取某一长度作为单位长度（unit length），规定直线上向右的方向为正方向（positive direction），就得到下面的**数轴**（number line）.

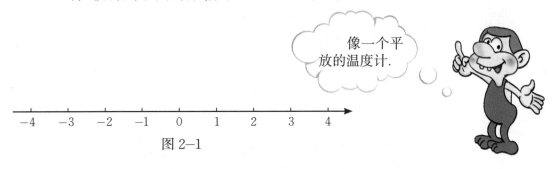

图 2-1

在这条数轴上，+3 可以用位于原点右边 3 个单位长度的点表示，-4 可以用位于原点左边 4 个单位长度的点表示.

 想一想

$\frac{1}{4}$ 用数轴上的哪个点表示? -1.5 呢?

任何一个有理数都可以用数轴上的一个点来表示.

例1 图 2-2 数轴上 A，B，C，D 各点分别表示什么数?

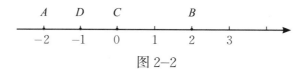

图 2-2

解：点 A 表示 -2，点 B 表示 2，点 C 表示 0，点 D 表示 -1.

例2 画出数轴，并用数轴上的点表示下列各数:

$$\frac{3}{2}，-3.5，0，5，-4，-\frac{3}{2}.$$

解：如图 2-3 所示.

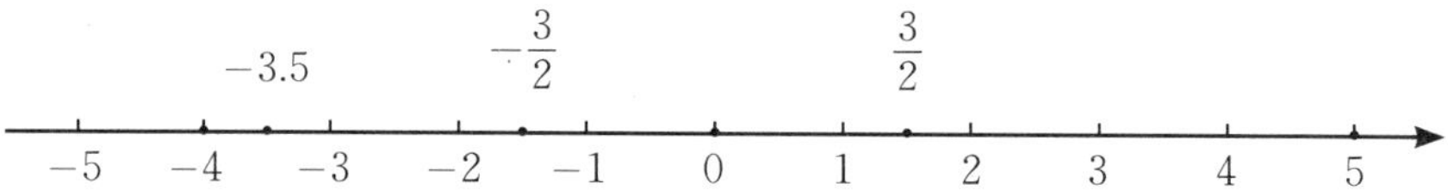

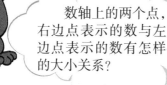

图 2-3

数轴上的两个点，右边点表示的数与左边点表示的数有怎样的大小关系?

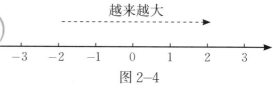

越来越大

图 2-4

数轴上两个点表示的数，右边的总比左边的大.
正数大于 0，负数小于 0，正数大于负数.

✏ **做一做**

比较下列每组数的大小:

（1）-2 和 $+6$.　　　（2）0 和 -1.8.　　　（3）$-\frac{3}{2}$ 和 -4.

随堂练习

画出数轴，用数轴上的点表示下列各数，并用">"将它们连接起来：

$$3, \ -2, \ 1.5, \ -\frac{3}{4}, \ 0, \ -0.5.$$

习题 2.2

知识技能

1. 指出数轴上 A，B，C，D，E 各点分别表示的有理数，并用"<"将它们连接起来．

A   D E   C   B

-4 -3 -2 -1 0 1 2 3 4

（第1题）

2. 在数轴上把下列各数表示出来，并比较它们的大小：

$$7, \ -\frac{4}{5}, \ -3.5, \ 0, \ \frac{4}{3}.$$

3. 比较下列每组数的大小：

（1）-10，-7；　　　　（2）-3.5，1；　　　　（3）$-\frac{1}{2}$，$-\frac{1}{4}$；

（4）-9，0；　　　　　（5）-5，3，-2.7；　　（6）3.8，-4.1，-3.9．

4. 下表记录了某日我国几个城市的平均气温：

北京	西安	哈尔滨	上海	广州
$-7.6\,℃$	$-1.2\,℃$	$-20.8\,℃$	$0.5\,℃$	$12.7\,℃$

（1）将各城市的平均气温从高到低进行排列；

（2）在地图上找到这几个城市的位置，并将它们从北到南进行排列．

问题解决

5. 点 A 在数轴上距原点 3 个单位长度，且位于原点左侧．若一个点从点 A 处向右移动 4 个单位长度，再向左移动 1 个单位长度，此时终点所表示的是什么数？

3 绝对值

3 与 −3 有什么相同点？$\frac{3}{2}$ 与 $-\frac{3}{2}$，5 与 −5 呢？你还能列举两个这样的数吗？与同伴进行交流.

如果两个数只有符号不同，那么称其中一个数为另一个数的**相反数**（opposite number），也称这两个数**互为相反数**. 特别地，**0 的相反数是 0**.

议一议

将上面三组数用数轴上的点表示出来，每组数所对应的点在数轴上的位置有什么关系？与同伴进行交流.

在数轴上，表示互为相反数的两个点，位于原点的两侧，且与原点的距离相等.

在数轴上，一个数所对应的点与原点的距离叫做这个数的**绝对值**（absolute value）. 例如，+2 的绝对值等于 2，记作 $|+2| = 2$；−3 的绝对值等于 3，记作 $|-3| = 3$.

想一想

（1）如果 a 表示有理数，那么 $|a|$ 有什么含义？
（2）互为相反数的两个数的绝对值有什么关系？

例1 求下列各数的绝对值：

$$-21, \frac{4}{9}, 0, -7.8, 21.$$

解： $|-21| = 21$；$\left|\frac{4}{9}\right| = \frac{4}{9}$；$|0| = 0$；$|-7.8| = 7.8$；$|21| = 21$.

议一议

一个数的绝对值与这个数有什么关系？

正数的绝对值是它本身；
负数的绝对值是它的相反数；
0的绝对值是0.

做一做

（1）在数轴上表示下列各数，并比较它们的大小：

$$-1.5，\ -3，\ -1，\ -5.$$

（2）求出（1）中各数的绝对值，并比较它们的大小；

（3）你发现了什么？

两个负数比较大小，绝对值大的反而小.

例2　比较下列每组数的大小：

（1）-1和-5；　　（2）$-\dfrac{5}{6}$和-2.7.

解：（1）因为$|-1|=1$，$|-5|=5$，$1<5$，

所以$-1>-5$；

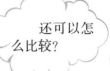
还可以怎么比较？

（2）因为$\left|-\dfrac{5}{6}\right|=\dfrac{5}{6}$，$|-2.7|=2.7$，$\dfrac{5}{6}<2.7$，

所以$-\dfrac{5}{6}>-2.7$.

随堂练习

1. 在数轴上距离原点 2 个单位长度的点表示什么数?

2. 在数轴上表示下列各数及其相反数,并求出它们的绝对值:

$$-\frac{3}{2}, \ 6, \ -3.$$

3. 比较下列每组数的大小:

(1) $-\frac{1}{10}$, $-\frac{2}{7}$;　　(2) -0.5, $-\frac{2}{3}$;　　(3) 0, $\left|-\frac{2}{3}\right|$;　　(4) $|-7|$, $|7|$.

习题 2.3

知识技能

1. 下面的说法是否正确?请将错误的改正过来.

(1) 有理数的绝对值一定比 0 大;

(2) 有理数的相反数一定比 0 小;

(3) 如果两个数的绝对值相等,那么这两个数相等;

(4) 互为相反数的两个数的绝对值相等.

2. 计算:

(1) $|-3| \times |6.2|$;　　　　　　(2) $|-5| + |-2.49|$;

(3) $\frac{11}{16} - \left|-\frac{3}{8}\right|$;　　　　　　(4) $\left|-\frac{2}{3}\right| \div \left|\frac{14}{3}\right|$.

3. (1) 在数轴上表示出: 0, -1.4, -3, $\frac{1}{5}$;

(2) 将 (1) 中各数用 "<" 连接起来;

(3) 将 (1) 中各数的相反数用 "<" 连接起来;

(4) 将 (1) 中各数的绝对值用 ">" 连接起来.

4. 比较下列每组数的大小:

(1) $-\frac{8}{9}$, $-\frac{9}{10}$;　　　　　　(2) -0.618, $-\frac{3}{5}$;

(3) 0, $|-8|$;　　　　　　(4) $-1\frac{2}{7}$, $-1\frac{1}{3}$.

 **数学理解**

5. 小红和她的同学共买了 6 袋标注质量为 450 g 的食品，她们对这 6 袋食品的实际质量进行了检测，检测结果（用正数记超过标注质量的克数，用负数记不足标注质量的克数）如下：

$$-25, +10, -20, +30, +15, -40.$$

哪袋食品的质量更标准？为什么？

联系拓广

6. 下面是一个正方体形状纸盒的展开图，请把 $-10, 7, 10, -2, -7, 2$ 分别填入六个正方形，使得折成正方体后，相对面上的两数互为相反数.

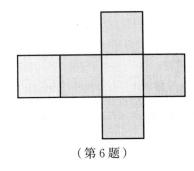

（第6题）

※7. 字母 a 表示一个有理数，$-a$ 表示什么数？$-a$ 一定是负数吗？

④ 有理数的加法

 答对　　 答错　　 不回答

　　某班举行知识竞赛，评分标准是：答对一题加 1 分，答错一题扣 1 分，不回答得 0 分.

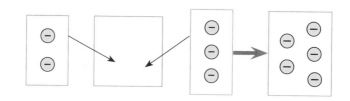

　　如果我们用 1 个 ⊕ 表示 +1，用 1 个 ⊖ 表示 −1，那么 ⊕⊖ 就表示 0.同样，⊖⊕ 也表示 0.

　　（1）计算 $(-2)+(-3)$.

　　在方框中放进 2 个 ⊖ 和 3 个 ⊖：

　　因此，$(-2)+(-3)=-5$.

　　（2）计算 $(-3)+2$.

　　在方框中放进 3 个 ⊖ 和 2 个 ⊕，移走所有的 ⊖⊕.

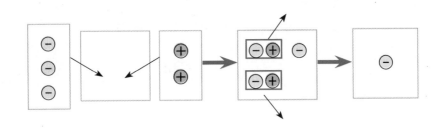

因此，$(-3)+2=-1$.

你能用类似的方法计算 $3+(-2)$，$(-4)+4$ 吗？

请你再写一些算式试一试.

 议一议

　　两个有理数相加，和的符号怎样确定？和的绝对值怎样确定？一个有理数同 0 相加，和是多少？

有理数加法（addition）法则

　　同号两数相加，取相同的符号，并把绝对值相加.

　　异号两数相加，绝对值相等时和为 0；绝对值不等时，取绝对值较大的数的符号，并用较大的绝对值减去较小的绝对值.

　　一个数同 0 相加，仍得这个数.

> 互为相反数的两数相加得 0.

例1 计算下列各题：

（1）$180+(-10)$；　　　　（2）$(-10)+(-1)$；

（3）$5+(-5)$；　　　　　（4）$0+(-2)$.

　解：（1）$180+(-10)$　　　（异号两数相加）

　　　　$=+(180-10)$　　　（取绝对值较大的数的符号，并用

　　　　$=170$；　　　　　　　较大的绝对值减去较小的绝对值）

　　（2）$(-10)+(-1)$　　　（同号两数相加）

　　　　$=-(10+1)$　　　　（取相同的符号，并把绝对值相加）

　　　　$=-11$；

（3）$5+(-5)$ （互为相反数的两数相加）

$=0$；

（4）$0+(-2)$ （一个数同0相加）

$=-2.$

随堂练习

计算：

（1）$(-25)+(-7)$； （2）$(-13)+5$； （3）$(-23)+0$； （4）$45+(-45)$.

习题2.4

 知识技能

1. 计算：

（1）$(-8)+(-9)$； （2）$(-17)+21$； （3）$(-12)+25$；

（4）$45+(-23)$； （5）$(-45)+23$； （6）$(-29)+(-31)$；

（7）$(-39)+(-45)$； （8）$(-28)+37$； （9）$(-13)+0$.

2. 土星表面的夜间平均温度为 $-150\,℃$，白天比夜间高 $27\,℃$，那么白天的平均温度是多少？

3. 分别在右图的圆圈内填上彼此都不相等的数，使得每条线上的三个数之和为零. 你有几种填法？

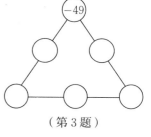

（第3题）

数学理解

4. 教科书中为加法运算提供了实际背景，你能设计一种新的情境来表示加法算式 $(-4)+3$ 吗？

5. 小华说："两个数相加，和一定大于其中一个加数." 你认为他说得正确吗？举例说明.

 **问题解决**

6. 纽约与北京的时差❶为 $-13\,h$. 李伯伯在北京乘坐早晨 8：00 的航班飞行约 20 h 到达

---

❶ 甲城市与乙城市的时差为两城市同一时刻的时数之差，如当北京时间为 8：00 时，东京时间为 9：00，而巴黎时间为 1：00，那么东京与北京的时差为 $9-8=+1$（h），巴黎与北京的时差为 $1-8=-7$（h）.

纽约，那么李伯伯到达时纽约时间是几点？

做一做

计算：

（1）$(-8)+(-9)$，$(-9)+(-8)$；

（2）$4+(-7)$，$(-7)+4$；

（3）$[2+(-3)]+(-8)$，$2+[(-3)+(-8)]$；

（4）$[10+(-10)]+(-5)$，$10+[(-10)+(-5)]$.

想一想

在有理数运算中，加法的交换律、结合律还成立吗？再换一些数试试.

请用字母表示加法的交换律（commutative property of addition）、结合律（associative property of addition）.

加法的交换律：＿＿＿＿＿＿＿＿＿＿＿；

加法的结合律：＿＿＿＿＿＿＿＿＿＿＿.

例2 计算：$31+(-28)+28+69$.

解： $31+(-28)+28+69$

　　$=31+69+[(-28)+28]=100+0=100$.

例3 有一批食品罐头，标准质量为每听 454 g. 现抽取 10 听样品进行检测，结果如下表：

听号	1	2	3	4	5
质量/g	444	459	454	459	454
听号	6	7	8	9	10
质量/g	454	449	454	459	464

这 10 听罐头的总质量是多少？

解法一： 这 10 听罐头的总质量为

$444 + 459 + 454 + 459 + 454 + 454 + 449 + 454 + 459 + 464 = 4\,550\,(\,g\,).$

解法二：把超过标准质量的克数用正数表示，不足的用负数表示，列出 10 听罐头与标准质量的差值表：

听号	1	2	3	4	5
与标准质量的差/g	−10	+5	0	+5	0
听号	6	7	8	9	10
与标准质量的差/g	0	−5	0	+5	+10

这 10 听罐头与标准质量差值的和为

$(-10) + 5 + 0 + 5 + 0 + 0 + (-5) + 0 + 5 + 10$
$= [\,(-10) + 10\,] + [\,(-5) + 5\,] + 5 + 5 = 10\,(\,g\,).$

因此，这 10 听罐头的总质量为

$454 \times 10 + 10 = 4\,540 + 10 = 4\,550\,(\,g\,).$

随堂练习

1. 计算下列各题：
   （1）$(-3) + 40 + (-32) + (-8)$；
   （2）$13 + (-56) + 47 + (-34)$；
   （3）$43 + (-77) + 27 + (-43)$.

2. 某潜水员先潜入水下 61 m，然后又上升 32 m，这时潜水员处在什么位置？

习题 2.5

知识技能

1. 计算下列各题：
   （1）$(-25) + 34 + 156 + (-65)$；
   （2）$(-64) + 17 + (-23) + 68$；
   （3）$(-42) + 57 + (-84) + (-23)$；
   （4）$63 + 72 + (-96) + (-37)$；
   （5）$(-301) + 125 + 301 + (-75)$；
   （6）$(-52) + 24 + (-74) + 12$；
   （7）$41 + (-23) + (-31) + 0$；
   （8）$(-26) + 52 + 16 + (-72)$.

2. 某城市一天早晨的气温为 22 ℃，中午比早晨上升了 6 ℃，夜间又比中午下降了 10 ℃，这天夜间的气温是多少？

3. 某村共有 6 块小麦试验田，每块试验田今年的收成与去年相比情况如下（增产为正，减产为负，单位：kg）：

$$55,\ -40,\ 10,\ -16,\ 27,\ -5.$$

今年的小麦总产量与去年相比情况如何？

4. 某日小明在一条南北方向的公路上跑步. 他从 A 地出发，每隔 10 min 记录下自己的跑步情况（向南为正方向，单位：m）：

$$-1\,008,\ 1\,100,\ -976,\ 1\,010,\ -827,\ 946.$$

1 h 后他停下来休息，此时他在 A 地的什么方向？距 A 地多远？小明共跑了多少米？

5. 分别列出一个满足下列条件的算式：

（1）所有的加数是负整数，和是 -5；　　（2）一个加数是 0，和是 -5；

（3）至少有一个加数是正整数，和是 -5.

6. 分别找出一个满足下列条件的整数：

（1）加上 -15，和大于 0；　　（2）加上 -15，和小于 0；

（3）加上 -15，和等于 0.

问题解决

7. 下面是一页账单，但有一部分破损了，你能根据上面残余的数字算出这一页最后的结余吗？

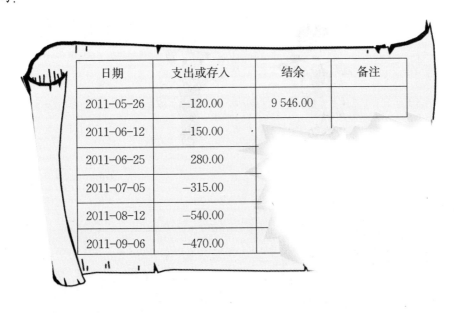

日期	支出或存入	结余	备注
2011-05-26	-120.00	9 546.00	
2011-06-12	-150.00		
2011-06-25	280.00		
2011-07-05	-315.00		
2011-08-12	-540.00		
2011-09-06	-470.00		

有理数的减法

下表是某日全国主要城市天气预报.

全国主要城市天气预报

城市	天气	高温	低温	城市	天气	高温	低温
哈尔滨	小雨	15	6	长春	多云	18	10
沈阳	小雨	19	7	天津	小雨	12	8
呼和浩特	雨夹雪	8	-3	乌鲁木齐	晴	4	-3
西宁	小雪	5	-4	银川	小雪	0	-3
兰州	雨夹雪	3	-3	西安	小雪	16	7
拉萨	多云	15	1	成都	雷阵雨	17	10
重庆	雷阵雨	22	11	贵阳	雷阵雨	23	8

乌鲁木齐的最高温度为 4 ℃，最低温度为 −3 ℃，这天乌鲁木齐的温差为多少？你是怎么算的？

$$4-(-3)=?$$

什么数加上 −3 等于 4 呢？

$\cdots,5,6,7.$

相反数

$4-(-3)=7 \quad 4+3=7$

相同结果

$7+(-3)=4$

计算下列各式：

$15-6=$ _____ ，　　　　　$15+(-6)=$ _____ ；

$19-3=$ _____ ，　　　　　$19+(-3)=$ _____ ；

$12-0=$ _____ ，　　　　　$12+0=$ _____ ；

$8-(-3)=$ _____ ，　　　　$8+3=$ _____ ；

$10-(-3)=$ _____ ，　　　$10+3=$ _____ .

你能得出什么结论？

减法统一成加法了！

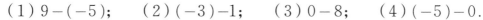

有理数减法（subtraction）法则
减去一个数，等于加上这个数的相反数.

例1 计算下列各题：

（1）9－（－5）；　（2）（－3）－1；　（3）0－8；　（4）（－5）－0.

解：（1）9－（－5）＝9＋5＝14；

（2）（－3）－1＝（－3）＋（－1）＝－4；

（3）0－8＝0＋（－8）＝－8；

（4）（－5）－0＝－5.

例2 世界上最高的山峰是珠穆朗玛峰，其海拔高度大约是 8 844 m，吐鲁番盆地的海拔高度大约是 －155 m. 两处高度相差多少米？

8 844 m 有多少层楼高？

解： 8 844－（－155）

＝8 844＋155

＝8 999（m）.

因此，两处高度相差 8 999 m.

例3 全班学生分为五个组进行游戏，每组的基本分为 100 分，答对一题加 50 分，答错一题扣 50 分. 游戏结束时，各组的分数如下：

第1组	第2组	第3组	第4组	第5组
100	150	－400	350	－100

（1）第一名超出第二名多少分？

（2）第一名超出第五名多少分？

解： 由上表可以看出，第一名得了 350 分，第二名得了 150 分，第五名得了 －400 分.

（1）350－150＝200（分）；　（2）350－（－400）＝750（分）.

因此，第一名超出第二名 200 分，第一名超出第五名 750 分.

随堂练习

口算：

（1）$3-5$；　　　　　　　（2）$3-(-5)$；　　　　　　（3）$(-3)-5$；

（4）$(-3)-(-5)$；　　　　（5）$(-6)-(-6)$；　　　　（6）$(-7)-0$；

（7）$0-(-7)$；　　　　　　（8）$(-6)-6$；　　　　　　（9）$9-(-11)$.

习题2.6

 知识技能

1. 计算：

　　（1）$(-3)-(-7)$；　　　（2）$(-10)-3$；　　　　（3）$33-(-27)$；

　　（4）$0-12$；　　　　　　（5）$(-11)-0$；　　　　　（6）$(-4)-16$.

2. 填空：

　　（1）$(-7)+(\quad)=21$；　　　　　　（2）$31+(\quad)=-85$；

　　（3）$(\quad)-(-21)=37$；　　　　　（4）$(\quad)-56=-40$.

3. 计算：

　　（1）$(-72)-(-37)-(-22)-17$；　　　（2）$(-16)-(-12)-24-(-18)$；

　　（3）$23-(-76)-36-(-105)$；　　　　（4）$(-32)-(-27)-(-72)-87$.

4. 某潜艇从海平面以下 27 m 处上升到海平面以下 18 m 处，此潜艇上升了多少米？

数学理解

5. 教科书中为减法运算提供了实际背景，你能设计一种新的情境来表示减法算式$(-3)-(-2)$吗？

 **问题解决**

6. 右表列出了国外几个城市与北京的时差. 如果现在的北京时间是 7：00，那么

　　（1）现在的东京时间是多少？

　　（2）小丽现在想给远在巴黎的姑妈打电话，你认为合适吗？

城市	时差/h
纽约	-13
巴黎	-7
东京	$+1$
芝加哥	-14

6 有理数的加减混合运算

请按下列规则做游戏：

（1）每人每次抽取 4 张卡片. 如果抽到白色卡片，那么加上卡片上的数字；如果抽到红色卡片，那么减去卡片上的数字.

（2）比较两人所抽 4 张卡片的计算结果，结果大的为胜者.

小丽抽到的 4 张卡片依次为：

与同伴做一做这个游戏.

她抽到的卡片的计算结果是多少？

小彬抽到的 4 张卡片依次为：

获胜的是谁？

例1 计算：

（1）$\left(-\dfrac{3}{5}\right)+\dfrac{1}{5}-\dfrac{4}{5}$；

（2）$(-5)-\left(-\dfrac{1}{2}\right)+7-\dfrac{7}{3}$.

解：（1）$\left(-\dfrac{3}{5}\right)+\dfrac{1}{5}-\dfrac{4}{5}=\left(-\dfrac{2}{5}\right)-\dfrac{4}{5}=\left(-\dfrac{2}{5}\right)+\left(-\dfrac{4}{5}\right)=-\dfrac{6}{5}$；

（2）$(-5)-\left(-\dfrac{1}{2}\right)+7-\dfrac{7}{3}$

$=(-5)+\dfrac{1}{2}+7-\dfrac{7}{3}=\left(-\dfrac{9}{2}\right)+7-\dfrac{7}{3}=\dfrac{5}{2}-\dfrac{7}{3}=\dfrac{15}{6}-\dfrac{14}{6}=\dfrac{1}{6}$.

随堂练习

计算：

（1）$\frac{1}{4}+\left(-\frac{3}{4}\right)-\frac{1}{2}$；

（2）$\left(-\frac{9}{4}\right)+\frac{1}{4}-\frac{1}{2}$；

（3）$(-11.5)-(-4.5)-3$；

（4）$\left(-\frac{1}{7}\right)+\left(-\frac{2}{35}\right)-\left(-\frac{2}{5}\right)$.

 习题 2.7

 知识技能

1. 计算：

（1）$4.7-3.4+(-8.3)$；

（2）$(-2.5)-\frac{1}{2}+\left(-\frac{1}{5}\right)$；

（3）$\frac{1}{2}-(-0.25)-\frac{1}{6}$；

（4）$\frac{1}{3}+\left(-\frac{5}{6}\right)-\left(-\frac{1}{2}\right)-\frac{2}{3}$.

 问题解决

2. 如图，一辆货车从超市出发，向东走了 3 km 到达小彬家，继续走了 1.5 km 到小颖家，然后向西走了 9.5 km 到达小明家，最后回到超市.

（第2题）

（1）小明家在超市的什么方向，距超市多远？以超市为原点，以向东的方向为正方向，用1个单位长度表示1km，你能在数轴上表示出小明家、小彬家和小颖家的位置吗？

（2）小明家距小彬家多远？

（3）货车一共行驶了多少千米？

一架飞机进行特技表演，起飞后的高度变化如下表：

高度变化	记作
上升 4.5 km	+4.5 km
下降 3.2 km	−3.2 km
上升 1.1 km	+1.1 km
下降 1.4 km	−1.4 km

此时飞机比起飞点高了多少千米？

对这个问题，可以这样计算：

$4.5 - 3.2 + 1.1 - 1.4 = 1.3 + 1.1 - 1.4 = 2.4 - 1.4 = 1（km）.$

还可以这样计算：

$4.5 + (-3.2) + 1.1 + (-1.4) = 1.3 + 1.1 + (-1.4) = 2.4 + (-1.4) = 1（km）.$

比较以上两种算法，你发现了什么？

　　有理数的加减混合运算可以统一成加法运算，如算式"$4.5 - 3.2 + 1.1 - 1.4$"可以看成 $4.5, -3.2, 1.1, -1.4$ 这 4 个数的和，因此在进行加减混合运算时可运用加法交换律和结合律简化运算．例如，

$$4.5 + (-3.2) + 1.1 + (-1.4)$$
$$= 4.5 + 1.1 + [(-3.2) + (-1.4)] = 5.6 + (-4.6) = 1.$$

例2 计算：

（1）$\left(-\dfrac{1}{3}\right) - 15 + \left(-\dfrac{2}{3}\right)$；　　　　（2）$(-12) - \left(-\dfrac{6}{5}\right) + (-8) - \dfrac{7}{10}$.

解：（1）$\left(-\dfrac{1}{3}\right) - 15 + \left(-\dfrac{2}{3}\right)$　　　（2）$(-12) - \left(-\dfrac{6}{5}\right) + (-8) - \dfrac{7}{10}$

$\qquad = \left(-\dfrac{1}{3}\right) + (-15) + \left(-\dfrac{2}{3}\right)$　　　$= -12 + \dfrac{6}{5} - 8 - \dfrac{7}{10}$

$\qquad = \left(-\dfrac{1}{3}\right) + \left(-\dfrac{2}{3}\right) + (-15)$　　　$= -12 - 8 + \dfrac{6}{5} - \dfrac{7}{10}$

$\qquad = (-1) + (-15)$　　　　　　　$= -20 + \dfrac{1}{2}$

$\qquad = -16$；　　　　　　　　　　$= -\dfrac{39}{2}.$

还可以怎样计算？

 做一做

　　下表是某年某市汽油价格的调整情况：

时间	1月14日	3月25日	6月1日	6月30日	7月28日	9月1日	9月29日	11月9日
价格变化/（元/吨）	−140	+290	+400	+600	−220	+300	−190	+480

　　注：正号表示比前一次上涨，负号表示比前一次下降．

与上一年年底相比, 11 月 9 日汽油价格是上升了还是下降了? 变化了多少元?

随堂练习

计算:

（1）$33.1-(-22.9)+(-10.5)$;

（2）$(-8)-(-15)+(-9)-(-12)$;

（3）$\frac{1}{2}+(-\frac{2}{3})-(-\frac{4}{5})+(-\frac{1}{2})$;

（4）$\frac{10}{3}+(-\frac{11}{4})-(-\frac{5}{6})+(-\frac{7}{12})$.

习题 2.8

知识技能

1. 计算:

（1）$27-18+(-7)-32$;

（2）$\frac{1}{3}+(-\frac{1}{5})-1+\frac{2}{3}$;

（3）$0.5+(-\frac{1}{4})-(-2.75)+\frac{1}{2}$;

（4）$(-\frac{2}{3})+(-\frac{1}{6})-(-\frac{1}{4})-\frac{1}{2}$.

问题解决

2. 某市客运管理部门对"十一"国庆假期七天客流变化量进行了不完全统计，数据如下（用正数表示客流量比前一天上升数，用负数表示下降数）：

日 期	1日	2日	3日	4日	5日	6日	7日
变化/万人	20	-3	-10	-3	2	9	3

与 9 月 30 日相比，10 月 7 日的客流量是上升了还是下降了？变化了多少？

3. 10 名学生参加体检，体重的测量结果（单位：kg）如下：

47, 48, 37.5, 42, 45, 40, 38.5, 34.5, 38, 42.5.

这 10 名学生的平均体重是多少？你是怎么算的？

右图是流花河的水文资料（单位：m），取河流的警戒水位作为 0 点，那么图中的其他数据可以分别记作什么？

下表是今年雨季流花河一周内的水位变化情况（上周末的水位达到警戒水位）.

星　期	一	二	三	四	五	六	日
水位变化/m	+0.20	+0.81	−0.35	+0.03	+0.28	−0.36	−0.01

注：正号表示水位比前一天上升，负号表示水位比前一天下降.

（1）本周哪一天河流的水位最高？哪一天河流的水位最低？它们位于警戒水位之上还是之下？与警戒水位的距离分别是多少米？

（2）与上周末相比，本周末河流水位是上升了还是下降了？

（3）完成下面的本周水位记录表：

星　期	一	二	三	四	五	六	日
水位记录/m	33.6						

（4）以警戒水位为 0 点，用折线统计图表示本周的水位情况.

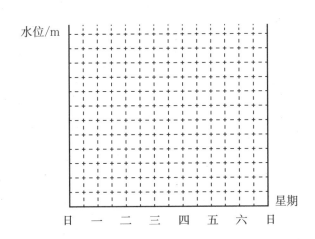

随堂练习

光明中学七（1）班学生的平均身高是 160 cm.

（1）下表给出了该班 6 名学生的身高情况（单位：cm）. 试完成下表：

姓　名	小明	小彬	小丽	小亮	小颖	小山
身　高	159			154		165
身高与平均身高的差值	−1	+2	0		+3	

（2）这 6 名学生中谁最高？谁最矮？

（3）最高与最矮的学生身高相差多少？

习题 2.9

知识技能

1. 计算：

（1）$7 + (-2) - 3.4$；

（2）$(-21.6) + 3 - 7.4 + \left(-\dfrac{2}{5}\right)$；

（3）$31 + \left(-\dfrac{5}{4}\right) + 0.25$；

（4）$7 - \left(-\dfrac{1}{2}\right) + 1.5$；

（5）$49 - (-20.6) - \dfrac{3}{5}$；

（6）$\left(-\dfrac{6}{5}\right) - 7 - (-3.2) + (-1)$.

问题解决

2. 一位病人每天下午需要测量一次血压，下表是该病人星期一至星期五收缩压的变化情况. 该病人上个星期日的收缩压为 160 单位.

星期	一	二	三	四	五
收缩压的变化（与前一天比较）	升 30 单位	降 20 单位	升 17 单位	升 18 单位	降 20 单位

（1）请算出星期五该病人的收缩压；

（2）请用折线统计图表示该病人这 5 天的收缩压情况.

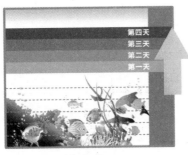
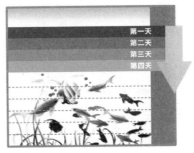

甲水库   乙水库

甲水库的水位每天升高 3 cm，乙水库的水位每天下降 3 cm，4 天后甲、乙水库水位的总变化量各是多少？

如果用正号表示水位上升，用负号表示水位下降，那么 4 天后甲水库的水位变化量为

$$3+3+3+3=3\times 4=12\ (\text{cm});$$

乙水库的水位变化量为

$$(-3)+(-3)+(-3)+(-3)=(-3)\times 4=-12\ (\text{cm}).$$

 **议一议**

$(-3)\times 4=-12$，

$(-3)\times 3=$ ____，

$(-3)\times 2=$ ____，

$(-3)\times 1=$ ____，

$(-3)\times 0=$ ____.

你能写出下列结果吗？

$(-3)\times(-1)=$ ____，

$(-3)\times(-2)=$ ____，

$(-3)\times(-3)=$ ____，

$(-3)\times(-4)=$ ____.

一个因数减小 1 时，积怎样变化？

有理数乘法（multiplication）法则

两数相乘，同号得正，异号得负，并把绝对值相乘.
任何数与0相乘，积仍为0.

例1 计算：

（1）$(-4) \times 5$;

（2）$(-5) \times (-7)$;

（3）$(-\frac{3}{8}) \times (-\frac{8}{3})$;

（4）$(-3) \times (-\frac{1}{3})$.

解：（1）$(-4) \times 5$

$= -(4 \times 5)$　　　　（异号得负，绝对值相乘）

$= -20$;

（2）$(-5) \times (-7)$

$= +(5 \times 7)$　　　　（同号得正，绝对值相乘）

$= 35$;

（3）$(-\frac{3}{8}) \times (-\frac{8}{3})$

$= +(\frac{3}{8} \times \frac{8}{3})$

$= 1$;

（4）$(-3) \times (-\frac{1}{3})$

$= +(3 \times \frac{1}{3})$

$= 1$.

如果两个有理数的乘积为1，那么称其中的一个数是另一个的**倒数**（reciprocal），也称这两个有理数**互为倒数**. 例如，3与$\frac{1}{3}$互为倒数，$-\frac{3}{8}$与$-\frac{8}{3}$互为倒数.

 计算：

（1）$(-4) \times 5 \times (-0.25)$;

（2）$(-\frac{3}{5}) \times (-\frac{5}{6}) \times (-2)$.

解：（1）$(-4) \times 5 \times (-0.25)$

$= [-(4 \times 5)] \times (-0.25)$

$= (-20) \times (-0.25)$

$= +(20 \times 0.25)$

$= 5$；

（2）$(-\frac{3}{5}) \times (-\frac{5}{6}) \times (-2)$

$= [+(\frac{3}{5} \times \frac{5}{6})] \times (-2)$

$= \frac{1}{2} \times (-2)$

$= -1.$

议一议

几个有理数相乘，因数都不为 0 时，积的符号怎样确定？ 有一个因数为 0 时，积是多少？

随堂练习

计算：

（1）$(-8) \times \frac{21}{4}$；

（2）$\frac{4}{5} \times (-\frac{25}{6}) \times (-\frac{7}{10})$；

（3）$\frac{2}{3} \times (-\frac{5}{4})$；

（4）$(-\frac{24}{13}) \times (-\frac{16}{7}) \times 0 \times \frac{4}{3}$；

（5）$\frac{5}{4} \times (-1.2) \times (-\frac{1}{9})$；

（6）$(-\frac{3}{7}) \times (-\frac{1}{2}) \times (-\frac{8}{15})$.

习题 2.10

知识技能

1. 计算：

（1）$0 \times (-2\,012)$；

（2）$(-8) \times 1.25$；

（3）$\frac{7}{10} \times (-\frac{3}{14})$；

（4）$(-\frac{3}{16}) \times (-\frac{8}{9})$；

（5）$7.5 \times (-8.2) \times 0 \times (-19.1)$；

（6）$(-\frac{14}{3}) \times \frac{5}{7}$；

（7）$(-0.12) \times \frac{1}{12} \times (-100)$；

（8）$7 \times (-1 + \frac{3}{14})$.

2. 把下图中第一个圈内的每个数分别乘 -3，将结果写在第二个圈内相应的位置.

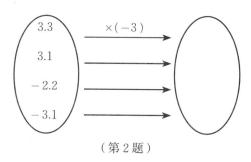

$$\times(-3)$$

3.3
3.1
-2.2
-3.1

（第2题）

 问题解决

3. 某地气象统计资料表明，高度每增加 $1\,000$ m，气温就降低大约 $6\,℃$. 现在地面气温是 $37\,℃$，则 $10\,000$ m高空的气温大约是多少?

联系拓广

4. 利用乘法法则完成右表，你能发现什么规律?

×	3	2	1	0	−1	−2	−3
3	9	6	3	0	−3		
2	6	4	2				
1	3	2	1				
0							
−1							
−2							
−3							

（第4题）

做一做

计算下列各题，并比较它们的结果.

（1）$(-7)\times 8$ 与 $8\times(-7)$;

$\left(-\dfrac{5}{3}\right)\times\left(-\dfrac{9}{10}\right)$ 与 $\left(-\dfrac{9}{10}\right)\times\left(-\dfrac{5}{3}\right)$.

（2）$[(-4)\times(-6)]\times 5$ 与 $(-4)\times[(-6)\times 5]$;

$\left[\dfrac{1}{2}\times\left(-\dfrac{7}{3}\right)\right]\times(-4)$ 与 $\dfrac{1}{2}\times\left[\left(-\dfrac{7}{3}\right)\times(-4)\right]$.

（3）$(-2)\times\left[(-3)+\left(-\dfrac{3}{2}\right)\right]$ 与 $(-2)\times(-3)+(-2)\times\left(-\dfrac{3}{2}\right)$;

$5\times\left[(-7)+\left(-\dfrac{4}{5}\right)\right]$ 与 $5\times(-7)+5\times\left(-\dfrac{4}{5}\right)$.

想一想

在有理数运算中，乘法的交换律、结合律以及乘法对加法的分配律还成立吗？请你换一些数试一试．

请用字母表示乘法的交换律、结合律以及乘法对加法的分配律（distributive property of multiplication）．

乘法的交换律：＿＿＿＿＿＿＿；

乘法的结合律：＿＿＿＿＿＿＿；

乘法对加法的分配律：＿＿＿＿＿＿＿．

例3 计算：

（1）$\left(-\dfrac{5}{6}+\dfrac{3}{8}\right)\times(-24)$；

（2）$(-7)\times\left(-\dfrac{4}{3}\right)\times\dfrac{5}{14}$．

解：（1）$\left(-\dfrac{5}{6}+\dfrac{3}{8}\right)\times(-24)$

$=\left(-\dfrac{5}{6}\right)\times(-24)+\dfrac{3}{8}\times(-24)$

$=20+(-9)$

$=11$；

（2）$(-7)\times\left(-\dfrac{4}{3}\right)\times\dfrac{5}{14}$

$=(-7)\times\dfrac{5}{14}\times\left(-\dfrac{4}{3}\right)$

$=\left(-\dfrac{5}{2}\right)\times\left(-\dfrac{4}{3}\right)$

$=\dfrac{10}{3}$．

随堂练习

1．计算：

（1）$0\times\left(-\dfrac{5}{6}\right)$；

（2）$3\times\left(-\dfrac{1}{3}\right)$；

（3）$(-3)\times0.3$；

（4）$\left(-\dfrac{1}{6}\right)\times\left(-\dfrac{6}{7}\right)$．

2．计算：

（1）$\left(-\dfrac{3}{4}\right)\times(-8)$；

（2）$30\times\left(\dfrac{1}{2}-\dfrac{1}{3}\right)$；

（3）$\left(0.25-\dfrac{2}{3}\right)\times(-36)$；

（4）$8\times\left(-\dfrac{4}{5}\right)\times\dfrac{1}{16}$．

 知识技能

1. 计算：

（1）$(\frac{1}{3} + \frac{1}{4} - \frac{1}{6}) \times 24$；

（2）$(-4) \times (-5) \times 0.25$；

（3）$100 \times (-3) \times (-5) \times 0.01$；

（4）$(\frac{1}{9} - \frac{1}{6} - \frac{1}{18}) \times 36$；

（5）$(\frac{1}{4} - \frac{1}{2} - \frac{1}{8}) \times 128$；

（6）$[9 \times (-4)] \times (-\frac{1}{4})$；

（7）$2.25 \times (-2.3) \times \frac{3}{25}$；

（8）$(-2.1) \times 6.5 \times (-\frac{3}{7})$.

 联系拓广

※2. 如果两个数的乘积为负数，你能说出这两个数的符号分别是什么吗？如果两个数的乘积为正数呢？你能推广到多个数相乘的情形吗？

※3. 用 ">" "<" "=" 填空：

（1）若 $a < 0$，则 a _____ $2a$；

（2）若 $a < c < 0 < b$，则 $a \times b \times c$ _____ 0.

8 有理数的除法

$(-12) \div (-3) = ?$

由 $(-3) \times 4 = -12$，得

$(-12) \div (-3) = $ _____ .

除法是乘法的逆运算.

 想一想

$(-18) \div 6 = $ _____ , $\qquad$ $5 \div (-\dfrac{1}{5}) = $ _____ ,

$(-27) \div (-9) = $ _____ , $\qquad$ $0 \div (-2) = $ _____ .

观察上面的算式及计算结果，你有什么发现？换一些算式再试一试.

两个有理数相除，同号得 _____，异号得 _____，并把绝对值 _____ .

0 除以任何非 0 的数都得 _____ .

注意：0 不能作除数.

例1 计算：

（1）$(-15) \div (-3)$； $\qquad\qquad$ （2）$12 \div (-\dfrac{1}{4})$；

（3）$(-0.75) \div 0.25$； $\qquad\qquad$ （4）$(-12) \div (-\dfrac{1}{12}) \div (-100)$.

解：（1）$(-15) \div (-3) = +(15 \div 3) = 5$；

（2）$12 \div (-\dfrac{1}{4}) = -(12 \div \dfrac{1}{4}) = -48$；

（3）$(-0.75) \div 0.25 = -(0.75 \div 0.25) = -3$；

（4）$(-12) \div (-\dfrac{1}{12}) \div (-100)$

$\qquad = +(12 \div \dfrac{1}{12}) \div (-100)$

$\qquad = 144 \div (-100)$

$\qquad = -(144 \div 100)$

$\qquad = -1.44$.

做一做

比较下列各组数的计算结果，你能得到什么结论？换一些算式再试一试.

（1）$1 \div \left(-\dfrac{2}{5}\right)$ 与 $1 \times \left(-\dfrac{5}{2}\right)$.　　（2）$0.8 \div \left(-\dfrac{3}{10}\right)$ 与 $0.8 \times \left(-\dfrac{10}{3}\right)$.

（3）$\left(-\dfrac{1}{4}\right) \div \left(-\dfrac{1}{60}\right)$ 与 $\left(-\dfrac{1}{4}\right) \times (-60)$.

除以一个数等于乘这个数的倒数.

例2 计算：

（1）$(-18) \div \left(-\dfrac{2}{3}\right)$;　　　　　　　（2）$16 \div \left(-\dfrac{4}{3}\right) \div \left(-\dfrac{9}{8}\right)$.

解：（1）$(-18) \div \left(-\dfrac{2}{3}\right) = (-18) \times \left(-\dfrac{3}{2}\right) = 18 \times \dfrac{3}{2} = 27$;

（2）$16 \div \left(-\dfrac{4}{3}\right) \div \left(-\dfrac{9}{8}\right) = 16 \times \left(-\dfrac{3}{4}\right) \times \left(-\dfrac{8}{9}\right) = 16 \times \dfrac{3}{4} \times \dfrac{8}{9} = \dfrac{32}{3}$.

随堂练习

计算：

（1）$\dfrac{5}{21} \div \left(-\dfrac{1}{7}\right)$;　　　　　　　（2）$(-1) \div (-1.5)$;

（3）$(-3) \div \left(-\dfrac{2}{5}\right) \div \left(-\dfrac{1}{4}\right)$;　　　　（4）$(-3) \div \left[\left(-\dfrac{2}{5}\right) \div \left(-\dfrac{1}{4}\right)\right]$.

习题 2.12

知识技能

1. 计算：

（1）$0 \div (-0.12)$;　　　　　　　　　（2）$(-0.5) \div \left(-\dfrac{1}{4}\right)$;

（3）$(-1.25) \div \dfrac{1}{4}$;　　　　　　　　（4）$\dfrac{4}{7} \div (-12)$;

（5）$(-378) \div (-7) \div (-9)$；

（6）$(-0.75) \div \dfrac{5}{4} \div (-0.3)$；

（7）$(-3.2) \div \dfrac{96}{5}$；

（8）$\left(-\dfrac{9}{14}\right) \div 2.5$.

2. 求下列各数的倒数，并用"<"把它们连接起来：

$$-\dfrac{5}{12},\ 3.7,\ \left|-\dfrac{1}{6}\right|,\ 2,\ -1.8.$$

3. 把下图中第一个圈内的每个数分别除以 $-\dfrac{2}{5}$，将结果写在第二个圈内相应的位置.

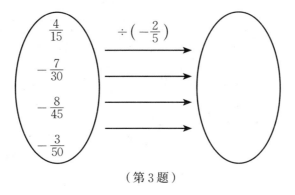

（第3题）

🔓 问题解决

4. 一天，小红与小莉利用温差测量山峰的高度，小红在山顶测得温度是 $-1\ ℃$，小莉此时在山脚测得温度是 $5\ ℃$. 已知该地区高度每增加 $100\ m$，气温大约降低 $0.8\ ℃$，这个山峰的高度大约是多少米？

9 有理数的乘方

某种细胞每过 30 min 便由 1 个分裂成 2 个. 经过 5 h,这种细胞由 1 个能分裂成多少个?

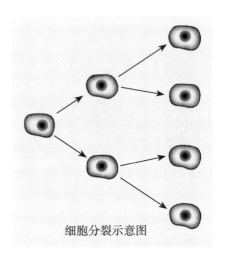

细胞分裂示意图

1 个细胞 30 min 后分裂成 2 个,1 h 后分裂成 2×2 个,$\dfrac{3}{2}$ h 后分裂成 $2 \times 2 \times 2$ 个……

5 h 后要分裂 10 次,分裂成

$$\overbrace{2 \times 2 \times \cdots \times 2 \times 2}^{10 个 2} = 1\,024 (个).$$

为了简便,可将 $\overbrace{2 \times 2 \times \cdots \times 2 \times 2}^{10 个 2}$ 记为 2^{10}. 一般地,n 个相同的因数 a 相乘,记作 a^n,即

$$\overbrace{a \times a \times \cdots \times a}^{n 个 a} = a^n.$$

这种求 n 个相同因数 a 的积的运算叫做**乘方**(power),乘方的结果叫做**幂**(power),a 叫做**底数**(base number),n 叫做**指数**(exponent),a^n 读作 "a 的 n 次幂"(或 "a 的 n 次方").

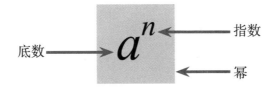

底数 —→ a^n ←— 指数

←— 幂

例1 计算:

(1) 5^3; (2) $(-3)^4$; (3) $\left(-\dfrac{1}{2}\right)^3$.

解:(1) $5^3 = 5 \times 5 \times 5 = 125$;

(2) $(-3)^4 = (-3) \times (-3) \times (-3) \times (-3) = 81$;

（3）$\left(-\dfrac{1}{2}\right)^3=\left(-\dfrac{1}{2}\right)\times\left(-\dfrac{1}{2}\right)\times\left(-\dfrac{1}{2}\right)=-\dfrac{1}{8}.$

例2 计算：

（1）$-(-2)^3$；　　　　（2）-2^4；　　　　（3）$-\dfrac{3^2}{4}.$

解：（1）$-(-2)^3=-[(-2)\times(-2)\times(-2)]=-(-8)=8$；

（2）$-2^4=-(2\times2\times2\times2)=-16$；

（3）$-\dfrac{3^2}{4}=-\dfrac{3\times3}{4}=-\dfrac{9}{4}.$

随堂练习

1．（1）在 7^4 中，底数是 _____，指数是 _____；

　　（2）在 $\left(-\dfrac{1}{3}\right)^5$ 中，底数是 _____，指数是 _____．

2．计算：

（1）$(-3)^3$；　　　　（2）$(-1.5)^2$；　　　　（3）$\left(-\dfrac{1}{7}\right)^2$；

（4）$-(-3)^2$；　　　　（5）$-\left(-\dfrac{1}{4}\right)^3.$

习题 2.13

 知识技能

1．填空：

（1）在 $(-6)^3$ 中，底数是 _____，指数是 _____；

（2）在 $\left(-\dfrac{6}{5}\right)^4$ 中，底数是 _____，指数是 _____．

2．计算：

（1）7^2；　　　　（2）$(-6)^3$；　　　　（3）$\left(\dfrac{2}{3}\right)^3$；

（4）-3^2；　　　　（5）$-\dfrac{2^3}{5}$；　　　　（6）$-\left(-\dfrac{3}{4}\right)^3.$

数学理解

3．你能举出有关乘方运算的实例吗？

4．一个数的平方为16，这个数可能是几？一个数的平方可能是零吗？

联系拓广

※**5.** 设 n 为正整数, 计算:

(1) $(-1)^{2n}$; 　　　　　　　　　　　(2) $(-1)^{2n+1}$.

例3 计算:

(1) 10^2, 10^3, 10^4, 10^5; 　　(2) $(-10)^2$, $(-10)^3$, $(-10)^4$, $(-10)^5$.

解: (1) $10^2 = 100$, $10^3 = 1\ 000$, $10^4 = 10\ 000$, $10^5 = 100\ 000$;

(2) $(-10)^2 = 100$, $(-10)^3 = -1\ 000$,

$(-10)^4 = 10\ 000$, $(-10)^5 = -100\ 000$.

想一想

观察例 3 的结果, 你能发现什么规律? 与同伴进行交流.

做一做

有一张厚度是 0.1 mm 的纸, 将它对折 1 次后, 厚度为 2×0.1 mm.

(1) 对折 2 次后, 厚度为多少毫米?

(2) 假设对折 20 次, 厚度为多少毫米?

每层楼平均高度为 3 m, 这张纸对折 20 次后有多少层楼高?

想一想

你见过拉面师傅拉面条吗? 拉面师傅将一根粗面条拉长、两头捏合, 再拉长、捏合, 重复这样, 就拉成许多根细面条了. 据报道, 在一次比赛中, 某拉面师傅用 1 kg 面粉拉出约 209 万根面条, 你知道是怎样得出这个结果的吗?

随堂练习

1. 计算：

(1) $-(\frac{3}{2})^2$;　　(2) $-(-\frac{3}{2})^2$;　　(3) -5^3;　　(4) $-\frac{4^2}{3}$.

2. 判断下列各式结果的符号，你能发现什么规律？

(1) $(-5)^4$;　　(2) $(-5)^5$;　　(3) $-(-5)^6$;　　(4) $-(-5)^7$.

📖 **读一读**

棋盘摆米

古时候，在某个王国里有一位聪明的大臣，他发明了国际象棋，献给了国王，国王从此迷上了下棋．为了对聪明的大臣表示感谢，国王答应满足这位大臣的一个要求．大臣说："就在这个棋盘上放一些米粒吧．第1格放1粒米，第2格放2粒米，第3格放4粒米，然后是8粒、16粒、32粒……一直到第64格．""你真傻！就要这么一点米粒？！"国王哈哈大笑．大臣说："就怕您的国库里没有这么多米！"

你认为国王的国库里有这么多米吗？

事实上，按照这位大臣的要求，放满一个棋盘上的64个格子需要 $1+2+2^2+2^3+\cdots+2^{63}=(2^{64}-1)$ 粒米．$2^{64}-1$ 到底多大呢？借助计算机中的计算器进行计算，可知答案是一个20位数：

18 446 744 073 709 551 615.

习题 2.14

🔻 **知识技能**

1. 计算：

(1) -3^4;　　　　(2) $-(-3)^3$;　　　　(3) $-(\frac{2}{3})^4$;

（4）$(\frac{4}{5})^2$；　　　　　（5）$-\frac{3}{2^2}$；　　　　　　　（6）$-(-\frac{2}{5})^3$.

问题解决

2. 1 m 长的木棒，第 1 次截去一半，第 2 次截去剩下部分的一半，如此截下去，第 7 次后剩下的木棒有多长？

联系拓广

3. 如图，将一个边长为 1 的正方形纸片分割成 7 个部分，部分①是边长为 1 的正方形纸片面积的一半，部分②是部分①面积的一半，部分③是部分②面积的一半，依次类推.

（1）阴影部分的面积是多少？

※（2）受此启发，你能求出 $\frac{1}{2}+\frac{1}{4}+\frac{1}{8}+\cdots+\frac{1}{2^6}$ 的值吗？

（第 3 题）

10 科学记数法

第六次全国人口普查时，我国全国总人口约为 1 370 000 000 人

地球半径约为 6 400 000 m

光的速度约为 300 000 000 m/s

我们可以借用乘方的形式表示大数. 例如：

1 370 000 000 可以表示成 1.37×10^9；

6 400 000 可以表示成 6.4×10^6；

300 000 000 可以表示成 3×10^8.

一般地，一个大于 10 的数可以表示成 $a \times 10^n$ 的形式，其中 $1 \leqslant a < 10$，n 是正整数，这种记数方法叫做**科学记数法**（scientific notation）.

例 用科学记数法表示下列数据：

（1）赤道长约为 40 000 000 m；　（2）地球表面积约为 510 000 000 km^2.

解：（1）40 000 000 m $= 4 \times 10^7$ m；

（2）510 000 000 $km^2 = 5.1 \times 10^8$ km^2.

做一做

（1）调查本校图书馆某个书架所存放图书的数量. 中国国家图书馆所藏的书需要多少个这样的书架？用科学记数法表示结果.

（2）调查本校的人数，如果每人借阅 10 本书，那么中国国家图书馆的藏书大约可以供多少所这样学校的学生借阅？用科学记数法表示结果．

随堂练习

1． 用科学记数法表示：10 000，1 000 000 和 100 000 000．

2． 一个正常人的心跳平均每分 70 次，一年大约跳多少次？用科学记数法表示这个结果．一个正常人一生心跳次数能达到 1 亿次吗？

习题 2.15

 知识技能

1． 用科学记数法表示下列数据：

（1）水星的半径约为 2 440 000 m；　　　（2）木星的赤道半径约为 71 400 000 m；

（3）地球上的陆地面积约为 149 000 000 km²；

（4）地球上的海洋面积约为 361 000 000 km²．

2． 下列用科学记数法表示的数据，原来各是什么数？

（1）北京故宫的占地面积约为 7.2×10^5 m²；　　（2）人体中约有 2.5×10^{13} 个红细胞；

（3）全球每年大约有 5.77×10^{14} m³ 的水从海洋和陆地转化为大气中的水汽．

🔓 问题解决

3． 一棵生长了 20 年的大树，仅能制成 5 000～8 000 双一次性筷子．如果每人每天用一双一次性筷子，调查你所在地区的人口数，估算一下一年我们要为此砍多少棵这样的大树（用科学记数法表示）．如果是一个 1 000 万人口的城市呢？

11 有理数的混合运算

$$3 + 2^2 \times \left(-\frac{1}{5}\right) = ?$$

可以按下面的
法则进行计算.

先算乘方，再算乘除，最后算加减；如果有括号，先算括号里面的.

$$3 + 2^2 \times \left(-\frac{1}{5}\right) = 3 + 4 \times \left(-\frac{1}{5}\right) = 3 - \frac{4}{5} = \frac{11}{5}.$$

例1 计算：$18 - 6 \div (-2) \times \left(-\frac{1}{3}\right)$.

解： $18 - 6 \div (-2) \times \left(-\frac{1}{3}\right) = 18 - (-3) \times \left(-\frac{1}{3}\right) = 18 - 1 = 17.$

例2 计算：$(-3)^2 \times \left[-\frac{2}{3} + \left(-\frac{5}{9}\right)\right]$.

解法一： $(-3)^2 \times \left[-\frac{2}{3} + \left(-\frac{5}{9}\right)\right] = 9 \times \left(-\frac{11}{9}\right) = -11.$

解法二： $(-3)^2 \times \left[-\frac{2}{3} + \left(-\frac{5}{9}\right)\right]$

$$= 9 \times \left[-\frac{2}{3} + \left(-\frac{5}{9}\right)\right]$$

$$= 9 \times \left(-\frac{2}{3}\right) + 9 \times \left(-\frac{5}{9}\right)$$

$$= -6 + (-5)$$

$$= -11.$$

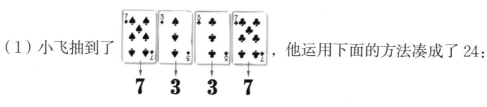

做一做

你会玩"24点"游戏吗？

从一副扑克牌（去掉大、小王）中任意抽取 4 张，根据牌面上的数字进行混合运算（每张牌只能用一次），使得运算结果为 24 或 −24．其中红色扑克牌代表负数，黑色扑克牌代表正数，J，Q，K 分别代表 11，12，13．

（1）小飞抽到了 ，他运用下面的方法凑成了 24：

$$7 \times (3 + 3 \div 7) = 24.$$

如果抽到的是 ，你能凑成24吗？

如果是  呢？

（2）请将下面的每组扑克牌凑成24.

随堂练习

计算：

（1）$8 + (-3)^2 \times (-2)$；

（2）$100 \div (-2)^2 - (-2) \div \left(-\dfrac{2}{3}\right)$；

（3）$(-4) \div \left(-\dfrac{3}{4}\right) \times (-3)$；

（4）$\left(-\dfrac{1}{3}\right) \div \left(-\dfrac{1}{3}\right)^2 - 4 \times \left(-\dfrac{1}{2}\right)^3$．

 知识技能

1. 计算:

（1）$36 \times \left(\dfrac{1}{2} - \dfrac{1}{3} \right)^2$;

（2）$12.7 \div \left(-\dfrac{8}{19} \right) \times 0$;

（3）$4 \times (-3)^2 + 6$;

（4）$\left(-\dfrac{3}{4} \right) \times \left(-8 + \dfrac{2}{3} - \dfrac{1}{3} \right)$;

（5）$(-2)^3 - 13 \div \left(-\dfrac{1}{2} \right)$;

（6）$0 - 2^3 \div (-4)^3 - \dfrac{1}{8}$;

（7）$(-2)^3 \times 0.5 - (-1.6)^2 \div (-2)^2$;

（8）$\left(-\dfrac{3}{2} \right) \times \left[\left(-\dfrac{2}{3} \right)^2 - 2 \right]$;

（9）$\left[(-3)^2 - (-5)^2 \right] \div (-2)$;

（10）$16 \div (-2)^3 - \left(-\dfrac{1}{8} \right) \times (-4)$.

 问题解决

2. 与你的同伴玩"24 点"游戏.

右图是一种科学计算器的面板.

显示器用来显示输入的数据和计算结果. 显示器因计算器的种类不同而不同, 有单行显示的, 也有双行显示的. 右图所示的计算器为双行显示.

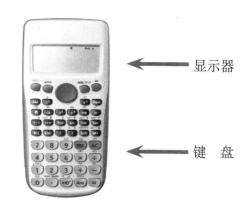

显示器

键　盘

计算器键盘的每个键上都标有这个键的功能. 比如, 在右图所示的计算器中, 　　 是开启计算器键, 按一下这个键, 计算器就处于开机状态. 　　 是清除键, 按一下这个键, 计算器就清除当前显示的数与符号. 　　 的功能是完成运算或执行指令. 　　 是运算键, 按一下这个键, 计算器就执行加法运算.

键盘上有些键的上边还注明这个键的其他功能 (称为第二功能), 这个功能通常用不同的颜色标明以区别于这个键的第一功能. 比如, 上图所示的面板中, 直接按一下 　　 键, 计算器直接执行第一功能, 即清除显示器显示的所有数与符号; 先按 　　 键, 再按 　　 键, 执行第二功能, 即关闭计算器.

下面我们以此面板为例, 说明用计算器如何进行有理数运算.

任务	按键顺序
$41.9 \times (-0.6)$	4 1 . 9 × (−) 0 . 6 =
$23 \times \dfrac{6}{5}$	2 3 × 6 ⊟ 5 =
1.2^2	1 . 2 x^2 =
12^4	1 2 $x^\blacksquare$ 4 =

例 用计算器计算:

(1) $(3.2 - 4.5) \times 3^2 - \dfrac{2}{5}$;

(2) $[3 \times (-2)^3 + 1] \div \left(-\dfrac{6}{5}\right)$.

解：（1）按键顺序为

计算器显示结果为 $-\dfrac{121}{10}$，可以按 **S⇔D** 键切换为小数格式 -12.1，所以

$$(3.2-4.5)\times 3^2-\frac{2}{5}=-12.1.$$

（2）按键顺序为

计算器显示结果为 $\dfrac{115}{6}$．

此时，若按 **S⇔D** 键，则结果切换为小数格式 $19.166\,666\,67$．这一结果显然不是准确值，而是一个**近似数**．在用计算器计算时，所得到的结果有时候是近似数．为了得到所需精确度的近似数，常采用四舍五入法．

做一做

测量一种圆柱形饮料罐的底面半径和高，精确到 $0.1\ \text{cm}$．用计算器计算出这个饮料罐的容积（π 取 3.14），结果精确到 $1\ \text{cm}^3$，并将你的结果与商标上的数据进行比较．

随堂练习

1. 用计算器求下列各式的值：

（1）$12.236\div(-2.3)$；　　　　　　（2）13^5；

（3）-155^3；　　　　　　　　　　（4）$\dfrac{1}{2}\times(3.87-2.21)\times 15^2+1.3^5$．

2. 按照下面的步骤做一做:

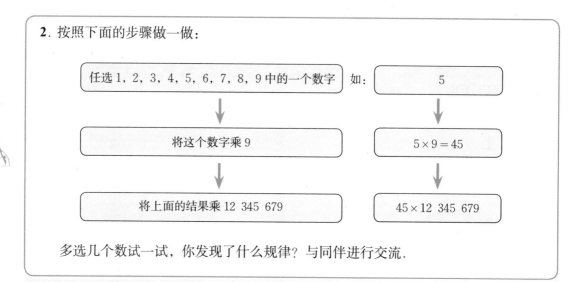

多选几个数试一试，你发现了什么规律? 与同伴进行交流.

 **读一读**

近似数

　　近似数的产生大致有以下几种情形: 一是对数值的精确度要求不高，如第六次全国人口普查时，我国的人口总数约为 13.7 亿. 二是在测量时，受测量工具和技术的限制，一般只能得到近似数. 例如，测量同一片树叶的长度，用最小单位为厘米的直尺测量结果为 6.8 cm，用最小单位为毫米的直尺测量结果为 6.78 cm，得到的数据都是近似数. 三是在计算中，有时只能得到一个近似数，如 $10 \div 3$ 得到商 3.33.

　　取近似数除了我们通常采用的四舍五入法外，还有进一法和去尾法等，应根据实际情况的需要选择适当的方法. 例如，某班 45 名同学去公园划船，每条船可坐 4 人，一共需租几条船? 由 $45 \div 4 = 11.25$，此时，要用 "进一法" 来取近似数，即应租 12 条船. 又如，小明有 3.9 元钱，每支圆珠笔 1.5 元，小明一共可买几支这样的圆珠笔? 由 $3.9 \div 1.5 = 2.6$，此时要用 "去尾法" 来取近似数，即可买 2 支这样的圆珠笔.

习题 2.17

知识技能

1. 用计算器求下列各式的值:

（1）$(-4.57)\times(-2.18)$;

（2）$(-8.73)\div 7.5$;

（3）$(-3.54)^4$;

（4）$2^4\times(3.17-1.25)^2+35.43$.

问题解决

2. 写出一个四位数，它的各个数位上的数字都不相等（如 6 731）. 用这个四位数各个数位上的数字组成一个最大数和一个最小数，并用最大数减去最小数，得到一个新的四位数. 对于新得到的四位数，重复上面的过程，又得到一个新的四位数. 一直重复下去，你发现了什么？请借助计算器进行探索.

3. （1）请测量一下你校体育课上所用篮球的圆周长，精确到 0.1 cm，并用计算器算出此篮球的直径（π取 3.14），结果精确到 1 cm;

（2）根据规定，青少年比赛专用篮球的圆周长为 69～71 cm，你所测篮球的圆周长是否符合这一标准？

※4. 假设有一根很长的绳子，它能绕地球赤道一周（约 40 000 km）. 利用计算器探索，将这根绳子连续对折多少次后能使每段绳长小于 1 m？

回顾与思考

1. 请你构思一个生活中的场景，使其尽可能多地包含负数、数轴、绝对值、有理数的运算内容.

2. 举例说明你是怎样获得有理数加法或减法的运算法则的.

3. 举例说明有理数的运算律.

4. 有理数的运算与小学学过的有关数的运算有什么联系？你能举例说明吗？

5. 生活中你遇到过用科学记数法表示的"大数"吗？查找资料，制作一份与"大数"有关的知识小报，与同学进行交流.

6. 生活中随处可见各种数据，哪些是精确的？哪些是近似的？举例说明.

7. 梳理本章内容，用适当的方式呈现全章知识结构，并与同伴进行交流.

复习题

知识技能

1. 下表记录了某星期内股市的涨跌情况，请完成下表：

时间	涨跌情况	用正负数表示
星期一	上涨 100 点	+ 100
星期二	下跌 50 点	
星期三	上涨 60 点	
星期四	下跌 30 点	
星期五	上涨 2 点	

2. 用数轴上的点表示下列各有理数，并求其相反数和绝对值：

$$-0.5, \ -3.5, \ 7, \ -4.5, \ -4.$$

3. 下面两个圈分别表示负数集合和整数集合，请将下列各数填在适当的圈中：

$$-5\frac{1}{2}, \ 0, \ 2, \ -7, \ 1.25, \ -\frac{7}{3}, \ -3, \ -\frac{3}{4}.$$

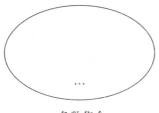
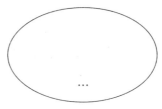

负数集合　　　　　　　　整数集合

4. 比较下列每组数的大小：

（1） $\dfrac{1}{100}$，-0.009；

（2） $-\dfrac{8}{7}$，$-\dfrac{7}{8}$；

（3） $\dfrac{2}{3}$，$\dfrac{3}{5}$；

（4） $-2\dfrac{1}{3}$，-2.3.

5. 从下图中最小的数开始，由小到大依次用线段连接各数．看看你画出了什么．

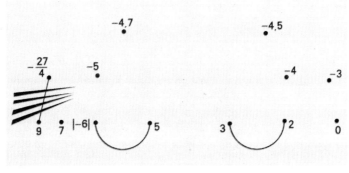

（第5题）

6. 计算：

（1） $(-8)-(-1)$；

（2） $45+(-30)$；

（3） $(-1.5)-(-11.5)$；

（4） $\left(-\dfrac{1}{4}\right)-\left(-\dfrac{1}{2}\right)$；

（5） $15-[1-(-20-4)]$；

（6） $(-40)-28-(-19)+(-24)$；

（7） $22.54+(-4.4)+(-12.54)+4.4$；

（8） $\left(\dfrac{2}{3}-\dfrac{1}{2}\right)-\left(\dfrac{1}{3}-\dfrac{5}{6}\right)$；

（9） $2.4-\left(-\dfrac{3}{5}\right)+(-3.1)+\dfrac{4}{5}$；

（10） $\left(-\dfrac{6}{13}\right)+\left(-\dfrac{7}{13}\right)-(-2)$；

（11） $\dfrac{3}{4}-\left(-\dfrac{11}{6}\right)+\left(-\dfrac{7}{3}\right)$；

（12） $11+(-22)-3\times(-11)$；

（13） $(-0.1)\div\dfrac{1}{2}\times(-100)$；

（14） $\left(-\dfrac{3}{4}\right)\times\left(-\dfrac{2}{3}-\dfrac{1}{3}\right)\times0$；

（15） $(-2)^3-3^2$；

（16） $23\div[(-2)^3-(-4)]$；

（17） $\left(\dfrac{3}{4}-\dfrac{7}{8}\right)\div\left(-\dfrac{7}{8}\right)$；

（18） $(-60)\times\left(\dfrac{3}{4}+\dfrac{5}{6}\right)$.

7. 请用科学记数法表示下表中的数据：

天体名称	围绕太阳公转的轨道半长径/km
水　星	58 000 000
金　星	110 000 000
地　球	150 000 000
火　星	230 000 000
木　星	780 000 000
土　星	1 500 000 000
天 王 星	2 900 000 000
海 王 星	4 500 000 000
冥 王 星	5 900 000 000

8. 计算 $1-2+3-4+5-6+\cdots+99-100$.

9. 点 A，B，C，D 所表示的数如图所示，回答下列问题：

（第 9 题）

（1）C，D 两点间的距离是多少？　　（2）A，B 两点间的距离是多少？

（3）A，D 两点间的距离是多少？

数学理解

10. "一只闹钟一昼夜误差在 $\pm 20\,\text{s}$ 之内." 这句话是什么含义？

11. 下列说法是否正确？请将错误的改正过来.

（1）所有的有理数都能用数轴上的点表示；（2）符号不同的两个数互为相反数；

（3）有理数分为正数和负数；　　　　　　（4）两数相加，和一定大于任何一个加数；

（5）两数相减，差一定小于被减数.

12. 写出符合下列条件的数：

（1）最小的正整数；　　　　　　　　　　（2）最大的负整数；

（3）大于 -3 且小于 2 的所有整数；　　（4）绝对值最小的有理数；

（5）绝对值大于 2 且小于 5 的所有负整数；

（6）在数轴上，与表示 -1 的点的距离为 2 的所有数.

13. 填空：

（1）两个互为相反数的数（0除外）的商是 _____；

（2）两个互为倒数的数的积是 _____.

14. 观察下面的每列数，按某种规律在横线上填上适当的数，并说明你的理由.

（1）-23，-18，-13，_____，_____；

（2）$\dfrac{2}{8}$，$-\dfrac{3}{16}$，$\dfrac{4}{32}$，$-\dfrac{5}{64}$，_____，_____；

（3）2，-4，8，-16，_____，_____；

（4）-2，-4，0，-2，2，_____，_____.

15. 不超过 $\left(-\dfrac{5}{3}\right)^3$ 的最大整数是多少？

16. 绝对值大于1而小于5的所有整数的和是多少？

17. 与同伴做下面的游戏：每个人从同一副扑克牌（去掉大、小王和J，Q，K）中选择3张黑色牌和3张红色牌（黑色牌代表正分，红色牌代表负分），使得6张牌的总分为零. 两人轮流从同伴手中抽1张牌，10次以后，计算每人手中牌的总分，得分高者获胜.

（1）你希望抽到哪种颜色的牌？你希望哪种颜色的牌不被抽走？

（2）游戏结束后，你手中牌的总分与同伴手中牌的总分有什么关系？

（3）你可能得到的最高分是多少？

问题解决

18. 某商店去年四个季度盈亏情况如下（盈余为正）：$+128.5$ 万元、-140 万元、-95.5 万元、$+280$ 万元. 这个商店去年总的盈亏情况如何？

19. 矿井下 A，B，C 三处的高度分别是 $-37.4\,\mathrm{m}$，$-129.8\,\mathrm{m}$，$-71.3\,\mathrm{m}$，A 处比 B 处高多少米？C 处比 B 处高多少米？A 处比 C 处呢？

20. 小明记录了本小组同学的身高（单位：cm）：

$$158，163，154，160，165，162，157，160.$$

请你计算这个小组同学的平均身高.

21. 用计算器计算下列各式，将结果填写在横线上.

$99\,999\times11=$ _____； $99\,999\times12=$ _____；

$99\,999\times13=$ _____； $99\,999\times14=$ _____.

（1）你发现了什么？

（2）不用计算器，你能直接写出 $99\,999\times19$ 的结果吗？

※22. 下面的 5 个时钟显示了同一时刻国外四个城市时间和北京时间，你能根据下表给出

的国外四个城市与北京的时差，分别在时钟下标明五个城市的名称吗？

城　市	时　差/h
纽　约	−13
悉　尼	+2
伦　敦	−8
罗　马	−7

 联系拓广

23. 如果字母 a 表示一个有理数，那么它的相反数如何表示？如果 a 的相反数比 a 大，那么 a 是什么数？

※24. 下列各式一定成立吗？

（1）$a^2=(-a)^2$；　（2）$a^3=(-a)^3$；　（3）$-a^2=|-a^2|$；　（4）$a^3=|a^3|$.

※25. （1）如果数 a 的绝对值等于 a，那么 a 可能是正数吗？可能是零吗？可能是负数吗？

（2）如果数 a 的绝对值大于 a，那么 a 可能是正数吗？可能是零吗？可能是负数吗？

（3）一个数的绝对值可能小于它本身吗？

※26. 求出 a 和 2 在数轴上对应的点之间的距离，你能发现所得的距离与这两个数的差有什么关系吗？

第三章　整式及其加减

随便想一个自然数，将这个数乘 5 减 7，再把结果乘 2 加 14，无论开始想的自然数是什么，按照上面方法计算得到的数的个位数字一定是 0. 你相信吗？不妨试试看！

借助字母、符号你能表示圆的面积公式吗？能表示加法运算的交换律吗？你还能用字母、符号表示什么？用字母、符号组成的表达式能和数一样进行运算吗？

本章将学习借助字母表示数或数量关系，利用它们去发现一些有趣的规律，解决一些实际问题.

学习目标

- 进一步理解字母表示数的意义
- 能进行整式的加减运算
- 形成用符号表示数或数量关系并获得、解释一般性结论的意识
- 充分感受抽象、归纳等思想方法

$$2(5x - 7) + 14$$

$$s = \frac{1}{2}gt^2$$

图 3-1

搭 1 个正方形需要 4 根火柴棒.

（1）按图 3-1 的方式，搭 2 个正方形需要 _____ 根火柴棒，搭 3 个正方形需要 _____ 根火柴棒.

（2）搭 10 个这样的正方形需要多少根火柴棒？

（3）搭 100 个这样的正方形需要多少根火柴棒？你是怎样得到的？

（4）如果用 x 表示所搭正方形的个数，那么搭 x 个这样的正方形需要多少根火柴棒？与同伴进行交流.

第一个正方形用 4 根，每增加一个正方形增加 3 根，那么搭 x 个正方形就需要火柴棒 $[4+3(x-1)]$ 根.

上面的一排和下面的一排各用了 x 根火柴棒，竖直方向用了 $(x+1)$ 根火柴棒，共用了 $[x+x+(x+1)]$ 根火柴棒.

🖉 **做一做**

（1）根据你的计算方法，搭 200 个这样的正方形需要 _____ 根火柴棒.

（2）利用小明的计算方法，我们用 200 代替 $4+3(x-1)$ 中的 x，可以得到

$$4 + 3 \times (200 - 1) = 601.$$

你的结果与小明的结果一样吗？

议一议

在上面的活动中，我们借助字母描述了正方形的个数和火柴棒的根数之间的关系．你在以前的学习中有哪些地方用到了字母？这些字母都表示什么？

字母可以表示任何数．

随堂练习

（1）明明步行上学，速度为 v m/s；亮亮骑自行车上学，速度是明明的 3 倍，则亮亮的速度可以表示为 _____ m/s．

（2）如图，用字母表示图中阴影部分的面积．

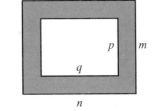

习题 3.1

知识技能

1. 填空：

（1）温度由 t℃下降 2℃后是 _____℃；

（2）今年李华 m 岁，去年李华 _____ 岁，5 年后李华 _____ 岁；

（3）a 个人 n 天完成一项工作，那么平均每人每天的工作量为 _____；

（4）某商店上月收入为 a 元，本月的收入比上月的 2 倍还多 10 元，本月的收入是 _____ 元；

（5）明明用 t s 走了 s m，他的速度为 _____ m/s；

（6）如果正方体的棱长是 $a-1$，那么正方体的体积是 _____，表面积是 _____．

数学理解

2. 在本节课用火柴棒搭正方形的游戏中，小颖得出这样的结果：搭 x 个这样的正方形需要 $[4x-(x-1)]$ 根火柴棒．你认为她的结果对吗？你能说出她是怎么想的吗？

问题解决

3. 用火柴棒按下面的方式搭图形:

按照这样的规律搭下去.

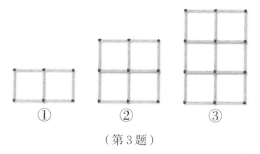

（第3题）

（1）填写下表:

图形编号	①	②	③	④	⑤	⑥
火柴棒根数						

（2）第 n 个图形需要多少根火柴棒?

② 代数式

在上节内容中出现过的 $4+3(x-1)$，$x+x+(x+1)$，$m-1$，$3v$，$2a+10$，$\dfrac{1}{an}$，$\dfrac{s}{t}$，$6(a-1)^2$ 等式子，它们都是用运算符号把数和字母连接而成的，像这样的式子叫做**代数式**（algebraic expression）. 单独一个数或一个字母也是代数式.

用具体数值代替代数式中的字母，就可以求出代数式的值.

例 列代数式，并求值.

（1）某公园的门票价格是：成人票每张 10 元，学生票每张 5 元. 一个旅游团有成人 x 人、学生 y 人，那么该旅游团应付多少门票费？

（2）如果该旅游团有 37 个成人、15 个学生，那么他们应付多少门票费？

解：（1）该旅游团应付的门票费是（$10x+5y$）元.

（2）把 $x=37$，$y=15$ 代入代数式 $10x+5y$，得

$$10\times37+5\times15=445.$$

因此，他们应付 445 元门票费.

想一想

代数式 $10x+5y$ 还可以表示什么？

如果用 x（m/s）表示小明跑步的速度，用 y（m/s）表示小明走路的速度，那么 $10x+5y$ 表示他跑步 10 s 和走路 5 s 所经过的路程；如果用 x 和 y 分别表示 1 元硬币和 5 角硬币的枚数，那么 $10x+5y$ 就表示 x 枚 1 元硬币和 y 枚 5 角硬币共是多少角钱.

你还能举出其他的例子吗？

做一做

现代营养学家用身体质量指数衡量人体胖瘦程度，这个指数等于人体体重（kg）与人体身高（m）平方的商. 对于成年人来说，身体质量指数在 20～25 之间，体重适中；身体质量指数低于 18，体重过轻；身体质量指数高于 30，体重超重.

（1）设一个人的体重为 w（kg），身高为 h（m），求他的身体质量指数.

（2）张老师的身高是 $1.75\,\text{m}$，体重是 $65\,\text{kg}$，他的体重是否适中？

（3）你的身体质量指数是多少？

随堂练习

1. 代数式 $6a$ 可以表示什么？

2. （1）一个两位数的个位数字是 a，十位数字是 b（$b \neq 0$），请用代数式表示这个两位数；

（2）如何用代数式表示一个三位数？

3. （1）代数式（$1 + 8\%$）x 可以表示什么？

（2）用具体数值代替（$1 + 8\%$）x 中的 x，并解释所得代数式值的意义.

读一读

"代数"的由来

"用字母表示数"是代数的基础. 初等代数主要以引进符号和未知数为特征，它的基本内容是解方程.

"代数"（algebra）一词最初来源于公元 9 世纪阿拉伯数学家、天文学家阿尔·花拉子米（al-Khowārizmī，约780—约850）一本著作的名称. 公元 820 年前后，阿尔·花拉子米写了一本名为《Kitab al-jabr w'al-muqabala》的书，书中讨论的内容主要是初等代数及各种实用算术问题. 阿尔·花拉子米认为，他在这本小小的著作里所选的材料是数学中最容易和最有用处的，同时也是人们在处理日常事务中经常需要的.

该书于 1183 年被译成拉丁文传入欧洲，在翻译中把"al-jabr"译为拉丁文"aljebra"，拉丁文"aljebra"一词后来被许多国家采用，英文译作"algebra".

1859 年，我国数学家李善兰首次把"algebra"译成"代数". 后来清代学者华蘅芳和英国人傅兰雅合译英国瓦里斯的《代数学》，卷首有"代数之法，无论何数，皆可以任何记号代之"，说明了所谓"代数"，就是用符号来代表数的一种方法.

习题 3.2

知识技能

1. 用代数式表示：

（1）f 的 11 倍再加上 2 可以表示为 _____；

（2）一个数 a 的 $\frac{1}{8}$ 与这个数的和可以表示为 _____；

（3）一个教室有 2 扇门和 4 扇窗户，n 个这样的教室有 _____ 扇门和 _____ 扇窗户；

（4）产量由 m kg 增长 15% 后，达到 _____ kg.

2. 某班共有 x 个学生，其中女生人数占 45%，那么男生人数是（ ）.

（A）45%x　　（B）$(1-45\%)x$　　（C）$\dfrac{x}{45\%}$　　（D）$\dfrac{x}{1-45\%}$

数学理解

3. 举例说明下列各代数式的意义：

（1）$2x$ 可以解释为 _____；　　（2）$\dfrac{a+b}{2}$ 可以解释为 _____；

（3）$8a^3$ 可以解释为 _____.

问题解决

4. 在某地，人们发现在一定温度下某种蟋蟀叫的次数与温度之间有如下的近似关系：用蟋蟀 1 min 叫的次数除以 7，然后再加上 3，就近似地得到该地当时的温度（℃）.

（1）用代数式表示该地当时的温度；

（2）当蟋蟀 1 min 叫的次数分别是 80，100 和 120 时，该地当时的温度约是多少？

在计算机上可以设置运算程序，输入一组数据，计算机就会呈现运算结果，就好像一个"数值转换机".

右面是一组"数值转换机"，请填写下表，并写出图 3-2 的输出结果，写出图 3-3 的运算过程.

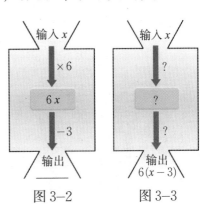

图 3-2　　　　图 3-3

输入	-2	$-\dfrac{1}{2}$	0	0.26	$\dfrac{1}{3}$	$\dfrac{5}{2}$	4.5
图 3-2 的输出							
图 3-3 的输出							

议一议

填写下表，并观察下列两个代数式的值的变化情况.

n	1	2	3	4	5	6	7	8
$5n+6$								
n^2								

（1）随着 n 的值逐渐变大，两个代数式的值如何变化？

（2）估计一下，哪个代数式的值先超过 100？

随堂练习

1. 人体血液的质量约占人体体重的 $6\% \sim 7.5\%$.

   （1）如果某人体重是 $a\,\mathrm{kg}$，那么他的血液质量大约在什么范围内？

   （2）亮亮体重是 $35\,\mathrm{kg}$，他的血液质量大约在什么范围内？

   （3）估计你自己的血液质量.

2. 物体自由下落的高度 $h(\mathrm{m})$ 和下落时间 $t(\mathrm{s})$ 的关系，在地球上大约是：$h = 4.9t^2$，在月球上大约是：$h = 0.8t^2$.

   （1）填写下表：

t	0	2	4	6	8	10
$h=4.9t^2$						
$h=0.8t^2$						

   （2）物体在哪儿下落得快？

   （3）当 $h = 20\,\mathrm{m}$ 时，比较物体在地球上和在月球上自由下落所需的时间.

知识技能

1. 如果用 c 表示摄氏温度（℃），f 表示华氏温度（℉），则 c 和 f 之间的关系是：

$$c = \frac{5}{9}(f - 32).$$

某日伦敦和纽约的最高气温分别为 $72℉$ 和 $88℉$，请把它们换算成摄氏温度.

2. 观察右图，回答下列问题：

（1）标出未注明的边的长度；

（2）阴影部分的周长是 _____；

（3）阴影部分的面积是 _____；

（4）当 $x = 5.5$，$y = 4$ 时，阴影部分的周长是 _____，

面积是 _____.

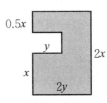

（第2题）

3. 下图是一个"数值转换机"的示意图，写出运算过程并填写下表.

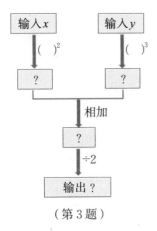

（第3题）

x	-1	0	1	2
y	1	-0.5	0	0.5
输出				

数学理解

4. 填写下表，并观察下列两个代数式的值的变化情况.

n	1	2	3	4	5	6	7	8
$-8n+5$								
$-n^2$								

（1）随着 n 的值逐渐变大，两个代数式的值如何变化？

（2）估计一下，哪个代数式的值先小于 -100 ？

 问题解决

5. 遗传是影响一个人身高的因素之一．国外有学者总结出用父母身高预测子女身高的
经验公式：儿子成年后的身高 $= \dfrac{a+b}{2} \times 1.08$，女儿成年后的身高 $= \dfrac{0.923a+b}{2}$，其
中 a 为父亲身高，b 为母亲身高，单位：m.

（1）七年级男生小刚的爸爸身高为 1.72 m，妈妈身高为 1.65 m，试预测小刚成年后的
身高；

（2）根据公式，预测一下自己的身高.

 联系拓广

※6. 当 $a = -1$，-0.5，0，0.5，1，1.5，2 时，$a^2 - a$ 是正数还是负数？当 $|a| > 2$ 时，$a^2 - a$
是正数还是负数？

3 整式

小芳房间的窗户如图 3–4 所示，其中上方的装饰物由两个四分之一圆和一个半圆组成（它们的半径相同）.

（1）装饰物所占的面积是多少？

（2）窗户中能射进阳光的部分的面积是多少？（窗框面积忽略不计）

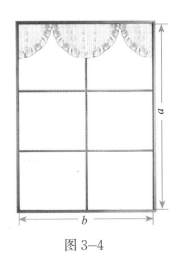

图 3–4

 做一做

（1）如图 3–5，一个十字形花坛铺满了草皮，这个花坛草地面积是多少？

（2）当水结冰时，其体积大约会比原来增加 $\frac{1}{9}$，$x\ \text{m}^3$ 的水结成冰后体积是多少？

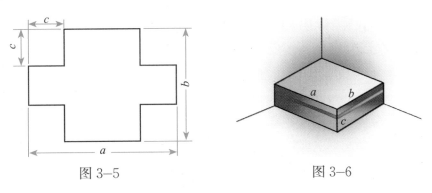

图 3–5   图 3–6

（3）如图 3–6，一个长方体的箱子紧靠墙角，它的长、宽、高分别是 $a, b,$ c. 这个箱子露在外面的表面积是多少？

（4）某件商品的成本价为 a 元，按成本价提高 15% 后标价，又以 8 折（即按标价的 80%）销售，这件商品的售价为多少元？

像 $\frac{\pi}{16}b^2$，$\frac{10}{9}x$，$0.8(1+15\%)a$ 等，都是数与字母的乘积，这样的代数式

叫做**单项式**（monomial）. 单独一个数或一个字母也是单项式.

几个单项式的和叫做**多项式**（polynomial），如 $ab - \frac{\pi}{16}b^2$，$ab - 4c^2$，$ab + ac + bc$ 都是多项式. 单项式和多项式统称**整式**（integral expression）.

单项式中的数字因数叫做这个**单项式的系数**（coefficient），如 $\frac{\pi}{16}b^2$ 的系数是 $\frac{\pi}{16}$，$\frac{10}{9}x$ 的系数是 $\frac{10}{9}$. 所有字母的指数和叫做这个**单项式的次数❶**（degree of monomial），如 $\frac{\pi}{16}b^2$ 是 2 次的，$12a^3b$ 是 4 次的.

在多项式中，每个单项式叫做**多项式的项**（term），如多项式 $ab - \frac{\pi}{16}b^2$ 是 ab 与 $-\frac{\pi}{16}b^2$ 两项的和. 一个多项式中，次数最高的项的次数，叫做这个**多项式的次数**. 如 $ab - \frac{\pi}{16}b^2$ 是 2 次的，$a^2b - 3a^2 + 1$ 是 3 次的.

议一议

小红和小兰房间窗户的装饰物如图 3-7 所示，它们分别由两个四分之一圆和四个半圆组成（半径分别相同）.

（1）窗户中能射进阳光的部分的面积分别是多少？（窗框面积忽略不计）

（2）你能指出其中的单项式或多项式吗？它们的次数分别是多少？

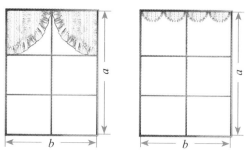

图 3-7

随堂练习

下列代数式中哪些是单项式？哪些是多项式？分别填入所属的圈中.

指出其中各单项式的系数；多项式中哪个次数最高？次数是多少？

$$-15a^2b, \ \frac{3x^2}{\pi}, \ 2x - 3y, \ 4a^2b^2 - 4ab + b^2, \ -a, \ x^3 + 2y - x.$$

单项式   多项式

---

❶ 作为单项式，单独一个非零数的次数是 0.

 **知识技能**

1. 下列代数式中哪些是单项式，哪些是多项式？它们的次数分别是多少？

$$7h,\ xy^3+1,\ 2ab+6,\ \frac{2}{5}x-by^3.$$

2. 下列多项式分别有几项？每项的系数和次数分别是多少？

（1）$-\dfrac{1}{3}x-x^2y+2\pi$；　　　　（2）$x^3-2x^2y^2+3y^2$.

3. 小明和小亮各收集了一些废电池，如果小明再多收集6个，他的废电池个数就是小亮的2倍．根据题意列出整式：

（1）若小明收集了 x 个废电池，则小亮收集了 _____ 个废电池；

（2）若小亮收集了 x 个废电池，则两人一共收集了 _____ 个废电池.

问题解决

4. 某小区一块长方形绿地的造型如图所示（单位：m），其中两个扇形表示绿地，两块绿地用五彩石隔开，那么需铺多大面积的五彩石？

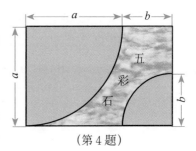

（第4题）

5. 如图（1）（2），某餐桌桌面可由圆形折叠成正方形（图中阴影表示可折叠部分）．已知折叠前圆形桌面的直径为 a m，折叠成正方形后其边长为 b m. 如果一块正方形桌布的边长为 a m，并按图（3）所示把它铺在折叠前的圆形桌面上，那么桌布垂下部分的面积是多少？如果按图（4）所示把这块桌布铺在折叠后的正方形桌面上呢？

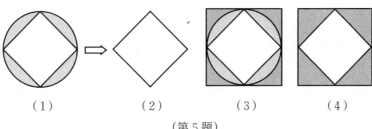

（1）　　　　（2）　　　　（3）　　　　（4）

（第5题）

图 3-8 的长方形由两个小长方形组成，求这个长方形的面积.

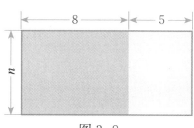

图 3-8

图 3-8 的长方形的面积可以用代数式表示为 $8n+5n$，或 $(8+5)n$，从而 $8n+5n=(8+5)n=13n$. 这就是说，当我们计算 $8n+5n$ 时，可以先将它们的系数相加，再乘 n 就可以了. 利用乘法分配律也可以得到这个结果.

与此类似，根据乘法分配律可得

$$-7a^2b+2a^2b=(-7+2)a^2b=-5a^2b.$$

像 $8n$ 与 $5n$，$2a^2b$ 与 $-7a^2b$ 这样所含字母相同，并且相同字母的指数也相同的项，叫做**同类项**（like terms）.

把同类项合并成一项叫做**合并同类项**（unite like terms）. 例如，

$$8n+5n=13n, \qquad -7a^2b+2a^2b=-5a^2b.$$

议一议

x 与 y，a^2b 与 ab^2，$-3pq$ 与 $3pq$，abc 与 ac，a^2 和 a^3 是不是同类项？

例1 根据乘法分配律合并同类项：

（1）$-xy^2+3xy^2$；　　　　　　（2）$7a+3a^2+2a-a^2+3$.

解：（1）$-xy^2+3xy^2=(-1+3)xy^2=2xy^2$；

（2）$7a+3a^2+2a-a^2+3$

$=(7a+2a)+(3a^2-a^2)+3$

$=(7+2)a+(3-1)a^2+3$

$=9a+2a^2+3$.

合并同类项时，把同类项的系数相加，字母和字母的指数不变.

例2 合并同类项：

（1）$3a + 2b - 5a - b$；

（2）$-4ab + \dfrac{1}{3}b^2 - 9ab - \dfrac{1}{2}b^2$.

解：（1）$3a + 2b - 5a - b$

$= (3a - 5a) + (2b - b)$

$= (3 - 5)a + (2 - 1)b$

$= -2a + b$；

（2）$-4ab + \dfrac{1}{3}b^2 - 9ab - \dfrac{1}{2}b^2$

$= (-4ab - 9ab) + (\dfrac{1}{3}b^2 - \dfrac{1}{2}b^2)$

$= -13ab - \dfrac{1}{6}b^2$.

做一做

求代数式 $-3x^2y + 5x - 0.5x^2y + 3.5x^2y - 2$ 的值，其中 $x = \dfrac{1}{5}$，$y = 7$. 说说你是怎么做的.

随堂练习

1. 合并同类项：

（1）$3f + 2f - 7f$；

（2）$3pq + 7pq + 4pq + pq$；

（3）$2y + 6y + 2xy - 5$；

（4）$3b - 3a^3 + 1 + a^3 - 2b$.

2. 下列各题的结果是否正确？指出错误的地方.

（1）$3x + 3y = 6xy$；

（2）$7x - 5x = 2x^2$；

（3）$-y^2 - y^2 = 0$；

（4）$19a^2b - 9ab^2 = 10$.

3. 求代数式的值：

（1）$8p^2 - 7q + 6q - 7p^2 - 7$，其中 $p = 3$，$q = 3$；

（2）$\dfrac{1}{3}m - \dfrac{3}{2}n - \dfrac{5}{6}n - \dfrac{1}{6}m$，其中 $m = 6$，$n = 2$.

习题 3.5

 知识技能

1. 合并同类项：

（1）$x - f + 5x - 4f$；

（2）$2a + 3b + 6a + 9b - 8a + 12b$；

（3）$30a^2b + 2b^2c - 15a^2b - 4b^2c$；

（4）$7xy - 8wx + 5xy - 12xy$.

2. 求代数式的值:

（1）$6x + 2x^2 - 3x + x^2 + 1$，其中 $x = -5$；

（2）$4x^2 + 3xy - x^2 - 9$，其中 $x = 2$，$y = -3$；

（3）$3pq - \dfrac{4}{5}m - 4pq$，其中 $m = 5$，$p = \dfrac{1}{4}$，$q = -\dfrac{3}{2}$.

3. 填空:

（1）一个长方形的宽为 a cm，长比宽的 2 倍多 1 cm，这个长方形的周长为 _____ cm；

（2）三个连续整数中，n 是最小的一个，这三个数的和为 _____；

（3）某公园的成人票价每张是 20 元，儿童票价每张是 8 元. 甲旅行团有 x 名成人和 y 名儿童；乙旅行团的成人数是甲旅行团的 2 倍，儿童数是甲旅行团的 $\dfrac{1}{2}$. 两个旅行团的门票费用总和为 _____ 元.

4. 某种 T 形零件尺寸如图所示.

（1）你能表示出 AB 的长度吗？

（2）阴影部分的周长是多少？

（3）阴影部分的面积是多少？

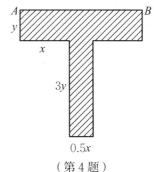

（第 4 题）

数学理解

5. 你能写出 $2xyz^3$ 的几个同类项吗？

问题解决

※6. 小华为一个长方形娱乐场所提供了如图所示的设计方案，其中半圆形休息区和长方形游泳区外的地方都是绿地. 如果这个娱乐场所需要有一半以上的绿地，并且它的长与宽之间满足 $a = \dfrac{3}{2}b$，而小华设计的 m，n 分别是 a，b 的 $\dfrac{1}{2}$，那么他的设计方案符合要求吗？你能为这个娱乐场所提供一个既符合要求、又美观的设计方案吗？

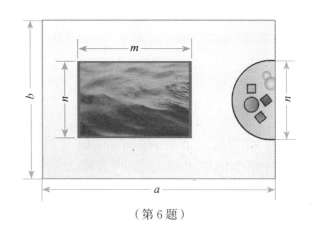

（第 6 题）

还记得用火柴棒搭正方形时，小明是怎样计算火柴棒的根数的吗？

 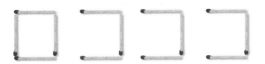

第一个正方形用 4 根，每增加一个正方形增加 3 根，那么搭 x 个正方形就需要火柴棒 $[4+3(x-1)]$ 根.

下面是小颖和小刚的做法：

把每一个正方形都看成是用 4 根火柴棒搭成的，然后再减多算的根数，得到的代数式是 $4x-(x-1)$.

第一个正方形可以看成是 3 根火柴棒加 1 根火柴棒搭成的. 此后每增加一个正方形就增加 3 根，搭 x 个正方形共需 $(3x+1)$ 根.

这三个代数式相等吗？

利用运算律去括号，并比较运算结果.
$$4+3(x-1)=4+3x-3=3x+1;$$
$$4x-(x-1)=4x+(-1)(x-1)$$
$$=4x+(-1)x+(-1)(-1)=4x-x+1=3x+1.$$
因此，这三个代数式是相等的.

 议一议

去括号前后，括号里各项的符号有什么变化？

括号前是"＋"号，把括号和它前面的"＋"号去掉后，原括号里各项的符号都不改变；

括号前是"－"号，把括号和它前面的"－"号去掉后，原括号里各项的符号都要改变．

例3 化简下列各式：

（1）$4a-(a-3b)$；

（2）$a+(5a-3b)-(a-2b)$；

（3）$3(2xy-y)-2xy$；

（4）$5x-y-2(x-y)$．

解：（1）$4a-(a-3b)=4a-a+3b=3a+3b$；

（2）$a+(5a-3b)-(a-2b)=a+5a-3b-a+2b=5a-b$；

（3）$3(2xy-y)-2xy=(6xy-3y)-2xy=6xy-3y-2xy=4xy-3y$；

（4）$5x-y-2(x-y)=5x-y-(2x-2y)=5x-y-2x+2y=3x+y$．

随堂练习

1. 化简下列各式：

（1）$8x-(-3x-5)=$ _____ ；

（2）$(3x-1)-(2-5x)=$ _____ ；

（3）$(-4y+3)-(-5y-2)=$ _____ ；

（4）$3x+1-2(4-x)=$ _____ ．

2. 下列各式一定成立吗？

（1）$3(x+8)=3x+8$；

（2）$6x+5=6(x+5)$；

（3）$-(x-6)=-x-6$；

（4）$-a+b=-(a+b)$．

习题3.6

知识技能

1. 化简下列各式：

（1）$3(xy-2z)+(-xy+3z)$；

（2）$-4(pq+pr)+(4pq+pr)$；

（3）$(2x-3y)-(5x-y)$；

（4）$-5(x-2y+1)-(1-3x+4y)$；

（5）$(2a^2b - 5ab) - 2(-ab - a^2b)$；　　　　（6）$1 - 3(x - \dfrac{1}{2}y^2) + (-x + \dfrac{1}{2}y^2)$.

数学理解

2. 张老师让同学们计算"当 $a = 0.25$，$b = -0.37$ 时，代数式 $a^2 + a(a + b) - 2a^2 - ab$ 的值"．小刚说，不用条件就可以求出结果．你认为他的说法有道理吗？

　　按照下面的步骤做一做：

（1）任意写一个两位数；

（2）交换这个两位数的十位数字和个位数字，又得到一个数；

（3）求这两个数的和．

　　再写几个两位数重复上面的过程．这些和有什么规律？这个规律对任意一个两位数都成立吗？

　　如果用 a，b 分别表示一个两位数的十位数字和个位数字，那么这个两位数可以表示为：$10a + b$．交换这个两位数的十位数字和个位数字，得到的数是：$10b + a$．这两个数相加：

$$(10a + b) + (10b + a) = \underline{\hspace{5cm}}.$$

　　根据运算结果，你能解决上面的问题吗？

做一做

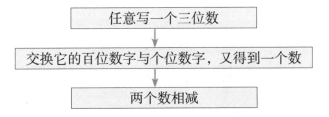

　　两个数相减后的结果有什么规律？这个规律对任意一个三位数都成立吗？

任意一个三位数可以表示为 $100a + 10b + c$.

议一议

　　在上面的两个问题中，分别涉及整式的什么运算？说一说你是如何运算的．

进行整式加减运算时，如果遇到括号要先去括号，再合并同类项.

例4 计算：

（1）$2x^2 - 3x + 1$ 与 $-3x^2 + 5x - 7$ 的和；

（2）$-x^2 + 3xy - \dfrac{1}{2}y^2$ 与 $-\dfrac{1}{2}x^2 + 4xy - \dfrac{3}{2}y^2$ 的差.

解：（1）$(2x^2 - 3x + 1) + (-3x^2 + 5x - 7)$

$= 2x^2 - 3x + 1 - 3x^2 + 5x - 7$

$= 2x^2 - 3x^2 - 3x + 5x + 1 - 7$

$= -x^2 + 2x - 6$；

（2）$\left(-x^2 + 3xy - \dfrac{1}{2}y^2\right) - \left(-\dfrac{1}{2}x^2 + 4xy - \dfrac{3}{2}y^2\right)$

$= -x^2 + 3xy - \dfrac{1}{2}y^2 + \dfrac{1}{2}x^2 - 4xy + \dfrac{3}{2}y^2$

$= -x^2 + \dfrac{1}{2}x^2 + 3xy - 4xy - \dfrac{1}{2}y^2 + \dfrac{3}{2}y^2$

$= -\dfrac{1}{2}x^2 - xy + y^2$.

随堂练习

计算：

（1）$(4k^2 + 7k) + (-k^2 + 3k - 1)$；

（2）$(5y + 3x - 15z^2) - (12y + 7x + z^2)$；

（3）$7(p^3 + p^2 - p - 1) - 2(p^3 + p)$；

（4）$-\left(\dfrac{1}{3} + m^2n + m^3\right) - \left(\dfrac{2}{3} - m^2n - m^3\right)$.

习题 3.7

知识技能

1. 计算：

（1）$\left(3x^2 + 2xy - \dfrac{1}{2}x\right) - (2x^2 - xy + x)$；

（2）$\left(\dfrac{1}{2}xy + y^2 + 1\right) + \left(x^2 - \dfrac{1}{2}xy - 2y^2 - 1\right)$；

（3）$-(x^2y + 3xy - 4) + 3(x^2y - xy + 2)$；

（4）$-\dfrac{1}{4}(2k^3 + 4k^2 - 28) + \dfrac{1}{2}(k^3 - 2k^2 + 4k)$.

2. 求下列各式的值：

（1）$3x^2-(2x^2+5x-1)-(3x+1)$，其中 $x=10$；

（2）$\left(xy-\dfrac{3}{2}y-\dfrac{1}{2}\right)-\left(xy-\dfrac{3}{2}x+1\right)$，其中 $x=\dfrac{10}{3}$，$y=\dfrac{8}{3}$；

（3）$4y^2-(x^2+y)+(x^2-4y^2)$，其中 $x=-28$，$y=18$.

3. 从 1~9 这九个数字中选择三个数字，由这三个数字可以组成六个两位数，先把这六个两位数相加，然后再用所得的和除以所选三个数字之和．你发现了什么？你能说明其中的道理吗？

星期日	星期一	星期二	星期三	星期四	星期五	星期六
		1	2	3	4	5
6	7	8	9	10	11	12
13	14	15	16	17	18	19
20	21	22	23	24	25	26
27	28	29	30	31		

（1）日历图的套色方框中的 9 个数之和与该方框正中间的数有什么关系？

（2）这个关系对其他这样的方框成立吗？你能用代数式表示这个关系吗？

（3）这个关系对任何一个月的日历都成立吗？为什么？

（4）你还能发现这样的方框中 9 个数之间的其他关系吗？用代数式表示.

 想一想

（1）如果将方框改为十字形框，你能发现哪些规律？如果改为 H 形框呢？

（2）你还能设计其他形状的包含数字规律的数框吗？

星期日	星期一	星期二	星期三	星期四	星期五	星期六
		1	2	3	4	5
6	7	8	9	10	11	12
13	14	.15	16	17	18	19
20	21	22	23	24	25	26
27	28	29	30	31		

 随堂练习

下面是用棋子摆成的"小房子". 摆第 10 个这样的"小房子"需要多少枚棋子？摆第 n 个这样的"小房子"呢？你是如何得到的？

习题 3.8

问题解决

1. （1）按图（1）方式摆放餐桌和椅子，照这样的方式继续排列餐桌，摆 4 张桌子可坐多少人？摆 5 张桌子呢？摆 n 张桌子呢？

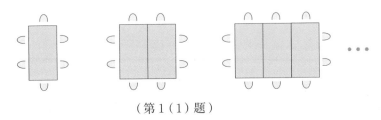

（第 1（1）题）

（2）按图（2）方式摆放餐桌和椅子，照这样的方式继续排列餐桌，摆 4 张桌子可坐多少人？摆 5 张桌子呢？摆 n 张桌子呢？

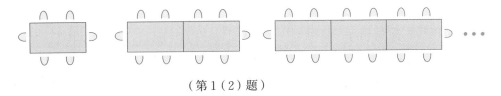

（第 1（2）题）

2. 将连续的奇数 1，3，5，7，9，…排成如图所示的数表.

（1）十字形框中的五个数之和与中间数 15 有什么关系？

（2）设中间数为 a，如何用代数式表示十字形框中五个数之和？

（3）若将十字形框上下左右移动，可框住另外五个数，这五个数还有上述的规律吗？

（4）十字形框中的五数之和能等于 2 012 吗？能等于 2015 吗？

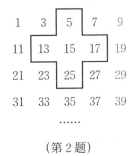

（第 2 题）

你在心里想好一个两位数，将十位数字乘 2，然后加 3，再将所得新数乘 5，最后将得到的数加个位数字. 把你的结果告诉我，我就知道你心里想的两位数.

我的结果是 93. 你心里想的数是 78. 我的结果是 27. 你心里想的数是 12.

你知道小明是怎样算出来的吗?

做一做

设计类似的数字游戏，并解释其中的道理.

随堂练习

有三堆棋子，数目相等，每堆至少有 4 枚. 从左堆中取出 3 枚放入中堆，从右堆中取出 4 枚放入中堆，再从中堆中取出与左堆剩余棋子数相同的棋子数放入左堆，这时中堆的棋子数是多少? 请做一做，并解释其中的道理.

习题 **3.9**

问题解决

1. 小强："你在心里想好一个数，按照下列步骤进行运算：把这个数乘 4，然后加 8，再把所得新数乘 5，然后再加 7，最后再把得到的数乘 5. 把你的结果告诉我，我就知道你心里想的数了." 同学们试了几次，小强都猜对了. 你知道这是为什么吗?

2. 小亮给好朋友留了一张纸条，纸条上写着一串奇怪的字母 "kccr zcfglb rfc jgzpypw"，但好朋友一下子就明白了 "meet behind the library". 你能设计类似的密码游戏吗?

联系拓广

※**3.** 一个三位数能不能被 3 整除，只要看这个数的各位数字的和能不能被 3 整除，这是为什么? 四位数能否被 3 整除是否也有这样的规律? 你还能得到哪些结论?

10. a 是一个有理数，$10a$ 一定大于 a 吗？$\dfrac{a}{3}$ 一定小于 a 吗？

※**11.** 在下列各式的括号内填上恰当的项：

（1）$-a+b-c+d=-a+($ 　　　$)$; 　　　（2）$-a+b-c+d=-($ 　　　$)+d$;

（3）$-a+b-c+d=-a+b-($ 　　　$)$; 　　　（4）$-a+b-c+d=-($ 　　　$)$.

12. 有一道题目是一个多项式减去 $x^2+14x-6$，小强误当成了加法计算，结果得到 $2x^2-x+3$，正确的结果应该是多少？

![问题解决]

13. 人在运动时的心跳速率通常和人的年龄有关. 如果用 a 表示一个人的年龄，用 b 表示正常情况下这个人在运动时所能承受的每分心跳的最高次数，那么 $b=0.8(220-a)$.

（1）正常情况下，在运动时一个 14 岁的少年所能承受的每分心跳的最高次数是多少？

（2）一个 45 岁的人运动时 10 秒心跳的次数为 22 次，他有危险吗？

14. 一根长 80 cm 的弹簧，一端固定. 如果另一端挂上物体，那么在正常情况下物体的质量每增加 1 kg 可使弹簧增长 2 cm.

（1）正常情况下，当挂着 x kg 的物体时，弹簧的长度是多少厘米？

（2）利用（1）的结果，完成下表：

物体的质量/kg	1	2	3	4
弹簧的长度/cm				

15. 用火柴棒按下图中的方式搭图形.

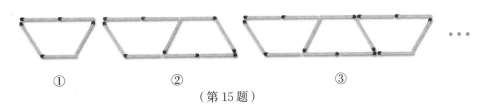

（第15题）

（1）按图示规律填空：

图形标号	①	②	③	④	⑤
火柴棒根数					

（2）按照这种方式搭下去，搭第 n 个图形需要 _____ 根火柴棒.

16. 用棋子摆出下列一组图形：

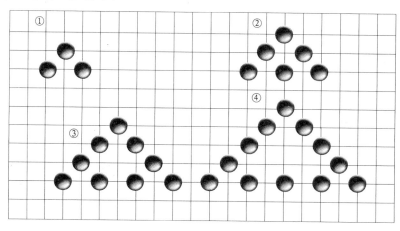

（第16题）

（1）摆第 1 个图形用 _____ 枚棋子，摆第 2 个图形用 _____ 枚棋子，摆第 3 个图形用 _____ 枚棋子；

（2）按照这种方式摆下去，摆第 n 个图形用 _____ 枚棋子，摆第 100 个图形用 _____ 枚棋子.

17. 一个两位数，若交换其个位数与十位数的位置，则所得新两位数比原两位数大 9. 这样的两位数共有多少个？它们有什么特点？

18. 某商店出售一种商品，其原价为 m 元，现有如下两种调价方案：一种是先提价 10%，在此基础上又降价 10%；另一种是先降价 10%，在此基础上又提价 10%.

（1）用这两种方案调价的结果是否一样？调价后的结果是不是都恢复了原价？

（2）两种调价方案改为：一种是先提价 20%，在此基础上又降价 20%；另一种是先降价 20%，在此基础上又提价 20%. 这时结果怎样？

（3）你能总结出什么规律吗？

※**19.** 将一张长方形的纸对折，如右图所示可得到一条折痕. 继续对折，对折时每次折痕与上次的折痕保持平行. 连续对折 6 次后，可以得到几条折痕？想象一下，如果对折 10 次呢？对折 n 次呢？

（第19题）

※**20.** 当 $a = -4, -3, -2, -1, 1, 2, 3, 4$ 时，分别求出代数式 $a^2 + \dfrac{1}{a^2}$ 的值. 你发现了什么？

第四章 基本平面图形

丰富的图形世界是由一些简单的图形构成的，观察图片，你能"看到"哪些平面图形？除了图中的情形外，你还能举出其他的例子吗？

你会表示线段和角吗？你会比较线段的长短和角的大小吗？你能在复杂的图形中找出多边形、圆、扇形等平面图形吗？

本章将在小学数学的基础上进一步研究线段、射线、直线、角的含义及相关性质，认识基本的平面图形，感受数学与现实的紧密联系，积累对基本图形进行研究的数学活动经验.

学习目标

- 会用符号表示线段、射线、直线、角等基本图形
- 理解并掌握比较线段的长短和角的大小的方法
- 感受到丰富的图形世界是由一些简单的图形组成的
- 通过丰富的实例，体验基本平面图形的抽象过程，积累几何活动经验

线段、射线、直线

绷紧的琴弦、黑板的边沿都可以近似地看做**线段**（segment）. 线段有两个端点.

将线段向一个方向无限延长就形成了**射线**（ray）. 手电筒、探照灯所射出的光线可以近似地看做射线. 射线有一个端点.

将线段向两个方向无限延长就形成了**直线**（line）. 直线没有端点.

🔈 **议一议**

生活中，有哪些物体可以近似地看做线段、射线、直线？

我们可以用以下方式分别表示线段、射线、直线：

A ——————— B　　　　　　a
线段 AB（或 BA）　　　　　　线段 a
（1）　　　　　　　　　　（2）

图 4—1

O ——— M ———
射线 OM

图 4—2

A ——————— B　　　　　　l
直线 AB（或 BA）　　　　　　直线 l
（1）　　　　　　　　　　（2）

图 4—3

做一做

（1）过一点 A 可以画几条直线？

（2）过两点 A，B 可以画几条直线？

（3）如果你想将一根细木条固定在墙上，至少需要几个钉子？

根据生活经验，我们发现：

经过两点有且只有一条直线.

这一事实可以简述为：两点确定一条直线.

1. 举出一个能反映"经过两点有且只有一条直线"的实例.

2. 指出下图中的直线、射线、线段，并分别写出 3 条射线和 3 条线段.

$$A \qquad B \qquad C$$

（第 2 题）

读一读

线段构成的美丽图案

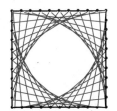

图 4-4

上面的图案漂亮吗？这些图案中似乎包含了一些曲线，其实它们都是由多条线段构成的. 不信的话，请按照下面的步骤试一试：

（1）画一个角；

（2）在角的两边取距离相等的点；

（3）将这些点按如图所示编上号码；

（4）把号码相同的点用线段连

起来．

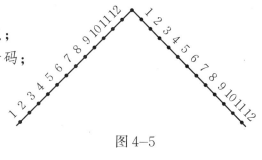

图4-5

看一看，你得到了什么图

案？有趣吗？

利用这个办法尝试画出上面的图案．你也可以发挥想象，自己创作出

更有趣的图案来！

知识技能

1. 如图，请用两种方式分别表示图中的两条直线．

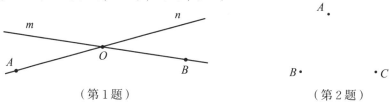

（第1题）　　　　　　　　　　　　　　　（第2题）

2. 如图，已知平面上三点 A，B，C．

（1）画直线 AC；　　　　　（2）画射线 BA；　　　　　（3）画线段 BC.

数学理解

3. 木匠师傅锯木料时，一般先在木板上画出两个点，然后过这两点弹出一条墨线，这是为什么？

**问题解决**

4. 点和线段在生活中有着广泛的应用．

（1）用 7 根火柴棒可以摆出图中的"8"．你能去掉其中的若干根火柴棒，摆出其他的 9 个数字吗？这种用 7 条线段构成的数字称为"7画字"，它可以用在计算器或电梯的楼层显示屏上．

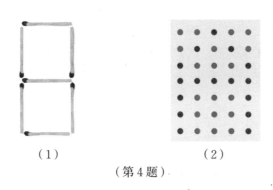

（1） （2）

（第4题）

（2）点也可以用来构成数字或符号，点阵式打印机就是利用了这个原理．如图，可以在上面的长方形点阵中，圈出一些点来构成数字或符号．试利用这种方法做出其他25个英文字母．

如图 4—6，从 A 地到 C 地有四条道路，哪条路最近？

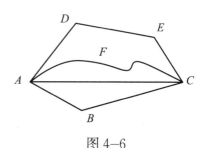

根据生活经验，容易发现：

图 4—6

> 两点之间的所有连线中，线段最短.

这一事实可以简述为：两点之间线段最短.

我们把两点之间线段的长度，叫做这**两点之间的距离**（distance）.

议一议

（1）下图中哪棵树高？哪支铅笔长？窗框相邻的两条边哪条边长？你是怎么比较的？与同伴进行交流.

（2）怎样比较两条线段的长短？

如果直接观察难以判断，我们可以有两种方法进行比较：

一种方法是用刻度尺量出它们的长度，再进行比较；

另一种方法是把其中的一条线段移到另一条线段上去，将其中的一个端点重合在一起加以比较（如图 4—7）.

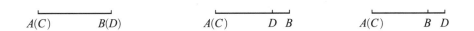

线段 AB 与线段 CD 相等，
记作 $AB = CD$

线段 AB 大于线段 CD，
记作 $AB > CD$

线段 AB 小于线段 CD，
记作 $AB < CD$

图 4-7

用尺规作图❶的方法可以将一条线段移到另一条线段上.

例 如图 4-8，已知线段 AB，用尺规作一条线段等于已知线段 AB.

解： 作图步骤如下：

（1）作射线 $A'C'$（如图4-9）；

（2）用圆规在射线 $A'C'$ 上截取 $A'B' = AB$.

线段 $A'B'$ 就是所求作的线段.

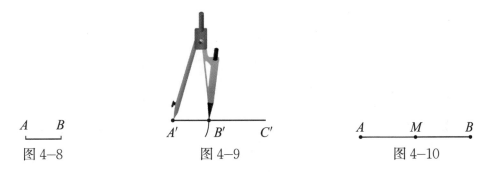

图 4-8   图 4-9   图 4-10

如图 4-10，点 M 把线段 AB 分成相等的两条线段 AM 与 BM，点 M 叫做线段 AB 的**中点**（midpoint）. 这时 $AM = BM = \frac{1}{2}AB$（或 $AB = 2AM = 2BM$）.

 做一做

在直线 l 上顺次取 A，B，C 三点，使得 $AB = 4$ cm，$BC = 3$ cm. 如果点 O 是线段 AC 的中点，那么线段 OB 的长度是多少？

---

❶ 只用没有刻度的直尺和圆规画图称为尺规作图.

随堂练习

1. 比较折线 AB 和线段 $A'B'$ 的长短,你有什么方法? 需要什么工具?

（第1题）

2. 如图,已知线段 a 和 b,直线 AB 和 CD 相交于点 O. 利用尺规,按下列要求作图:

（1）在射线 OA,OB,OC 上作线段 OA',OB',OC',使它们分别与线段 a 相等;

（2）在射线 OD 上作线段 OD',使 OD' 与线段 b 相等;

（3）连接 $A'C'$,$C'B'$,$B'D'$,$D'A'$.❶
你得到了一个怎样的图形? 与同伴进行交流.

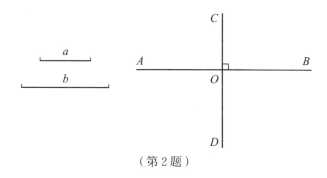

（第2题）

习题 4.2

▸ 知识技能

1. 分别比较图（1）（2）（3）中各条线段的长短:

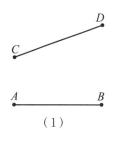 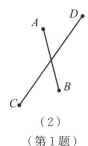 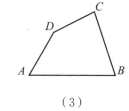

（1）   （2）   （3）

（第1题）

---

❶ 连接 $A'C'$,是指作线段 $A'C'$.

2. 如图，已知线段 a，b，用尺规作一条线段 c，使 $c = a + b$.

（第2题）　　　　　　　　（第3题）

3. 如图，已知线段 AB，请用尺规按下列要求作图：

（1）延长线段 AB 到 C，使 $BC = AB$；

（2）延长线段 BA 到 D，使 $AD = AC$.

如果 $AB = 2 \text{ cm}$，那么 $AC = \underline{\quad}$ cm，$BD = \underline{\quad}$ cm，$CD = \underline{\quad}$ cm.

联系拓广

4. 如图，在一个四边形各边上任意取一点，并顺次连接它们. 想一想，你得到的图形周长与原四边形周长哪一个大？为什么？如果是一个五边形呢？六边形呢？

（第4题）

你能在图中找到角吗？

说一说
生活中的角.

角（angle）由两条具有公共端点的射线组成，两条射线的公共端点是这个角的**顶点**（vertex）.

通常可以用以下方式表示角：

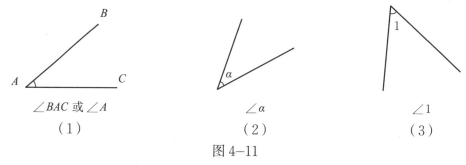

∠BAC 或 ∠A
（1）

∠α
（2）

∠1
（3）

图 4-11

✏ **做一做**

（1）用适当的方式分别表示图 4-12 中的每个角.

（2）在图 4-12 中，∠BAC，∠CAD 和 ∠BAD 能用 ∠A 来表示吗？

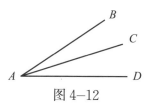

图 4-12

裁纸刀在开合过程中形成了大小不同的角. 你还能举出其他类似的例子吗?

图 4—13

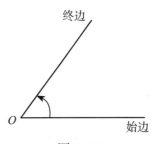

终边

始边

图 4—14

角也可以看成是由一条射线绕着它的端点旋转而成的（如图 4—14）.

如图 4—15，一条射线绕它的端点旋转，当终边和始边成一条直线时，所成的角叫做**平角**（straight angle）. 终边继续旋转，当它又和始边重合时，所成的角叫做**周角**（round angle）.

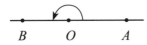

B O A O $A(B)$

图 4—15

在小学数学中，我们已经知道：1 平角 = 180°, 1 周角 = 360°.

为了更精密地度量角，我们规定:

1° 的 $\dfrac{1}{60}$ 为 1 分，记作 $1'$，即 $1° = 60'$.

$1'$ 的 $\dfrac{1}{60}$ 为 1 秒，记作 $1''$，即 $1' = 60''$.

例 计算:

（1）$1.45°$ 等于多少分？等于多少秒？

（2）$1\,800''$ 等于多少分？等于多少度？

解：（1）$60' \times 1.45 = 87'$，$60'' \times 87 = 5\,220''$，

即 $1.45° = 87' = 5\,220''$;

（2）$(\dfrac{1}{60})' \times 1\,800 = 30'$, $(\dfrac{1}{60})° \times 30 = 0.5°$,

即 $1\,800'' = 30' = 0.5°$.

做一做

图 4–16 是中国地图的简图.

（1）分别表示以北京为中心的每两个城市之间的夹角.

（2）哈尔滨在北京的北偏东大约多少度？

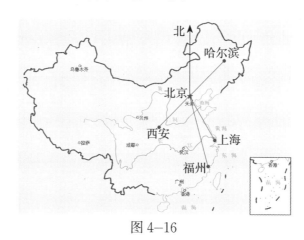

图 4–16

随堂练习

1. 一个公园的示意图如图所示.

   （1）海洋世界在大门的正东方向，你能说出它在大门的北偏东多少度吗？

   （2）虎豹园、猴山、大象馆分别在大门的北偏东（或南偏东）多少度？

   （3）在图中连接各个景点与大门，并用适当的方式表示各角.

   （4）指出图中的锐角、钝角、直角、平角.

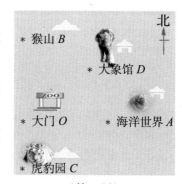

（第1题）

2. （1）$0.25°$ 等于多少分？等于多少秒？

   （2）$2\,700''$ 等于多少分？等于多少度？

知识技能

1. 将图中的角用不同方法表示出来，并填写下表❶：

$\angle 1$		$\angle 3$	$\angle 4$
	$\angle BCA$		$\angle ABC$

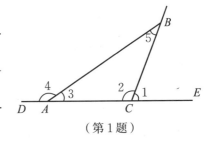

（第1题）

2. 计算：

（1）$\left(\dfrac{1}{8}\right)^{\circ}$ 等于多少分？等于多少秒？

（2）$6\,000''$ 等于多少分？等于多少度？

问题解决

3.（1）如图，分别确定四个城市相应钟表上时针与分针所成角的度数.

巴黎时间　　　伦敦时间　　　北京时间　　　东京时间

（第3题）

（2）每经过 $1\,\text{h}$，时针转过多少度？每经过 $1\,\text{min}$，分针转过多少度？

（3）当时钟指向上午10：10时，时针与分针的夹角是多少度？

※（4）请你的同伴任意报一个时间（精确到分），你来确定时针与分针的夹角.

❶ 如没有特别说明，本书今后所说的角都是指还没有旋转到组成平角时的角.

还记得怎样比较线段的长短吗？类似地，你能比较角的大小吗？与同伴进行交流.

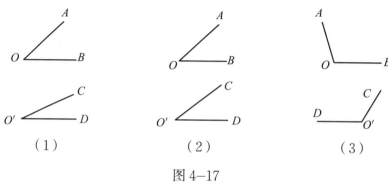

图 4—17

与比较线段的长短类似，如果直接观察难以判断，我们可以有两种方法对角进行比较：

一种方法是用量角器量出它们的度数，再进行比较；

另一种方法是将两个角的顶点及一条边重合，另一条边放在重合边的同侧就可以比较大小.

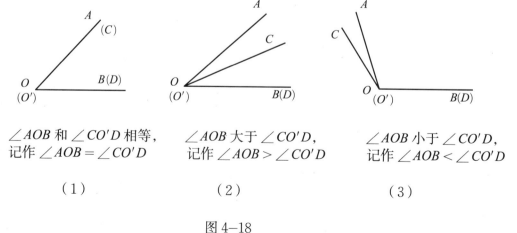

∠AOB 和 ∠CO'D 相等，记作 ∠AOB = ∠CO'D

∠AOB 大于 ∠CO'D，记作 ∠AOB > ∠CO'D

∠AOB 小于 ∠CO'D，记作 ∠AOB < ∠CO'D

（1）　　　　（2）　　　　（3）

图 4—18

✏️ **做一做**

根据图 4—19 求解下列问题：

（1）比较 $\angle AOB$，$\angle AOC$，$\angle AOD$，$\angle AOE$ 的大小，并指出其中的锐角、直角、钝角、平角.

（2）试比较 $\angle BOC$ 和 $\angle DOE$ 的大小.

（3）小亮通过折叠的方法，使 OD 与 OC 重合，OE 落在 $\angle BOC$ 的内部，所以 $\angle BOC$ 大于 $\angle DOE$. 你能理解这种方法吗？

（4）请在图中画出小亮折叠的折痕 OF，$\angle DOF$ 与 $\angle COF$ 有什么大小关系？

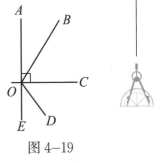

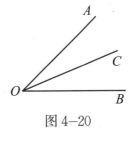

图 4—19

从一个角的顶点引出的一条射线，把这个角分成两个相等的角，这条射线叫做这个**角的平分线**（angle bisector）.

如图 4—20，射线 OC 是 $\angle AOB$ 的平分线. 这时，$\angle AOC = \angle BOC = \dfrac{1}{2}\angle AOB$（或 $\angle AOB = 2\angle AOC = 2\angle BOC$）.

图 4—20

✏️ **做一做**

（1）如图 4—21，估计 $\angle AOB$，$\angle DEF$ 的度数.
（2）量一量，验证你的估计.

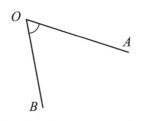 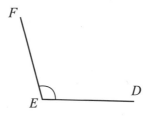

图 4—21

随堂练习

1. 如图，在方格纸上有三个角．

（1）先估计每个角的大小，再用量角器量一量；

（2）找出三个角之间的等量关系．

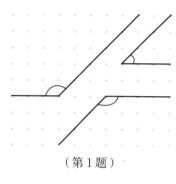

（第1题）

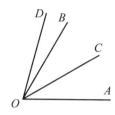

（第2题）

2. 如图，OC 是 $\angle AOB$ 的平分线，$\angle BOD = \dfrac{1}{3}\angle COD$，$\angle BOD = 15°$，

则 $\angle COD = $ _____，$\angle BOC = $ _____，$\angle AOB = $ _____．

习题4.4

知识技能

1. 把两个三角尺按如图所示那样拼在一起，试确定图中 $\angle B$，$\angle E$，$\angle BAD$，$\angle DCE$ 的度数及其大小关系．

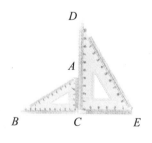

（第1题）

（第2题）

2. 如图，直线 m 外有一定点 O，A 是 m 上的一个动点，当点 A 从左向右运动时，观察 $\angle \alpha$ 和 $\angle \beta$ 是如何变化的，$\angle \alpha$ 和 $\angle \beta$ 之间有关系吗？

**数学理解**

3. 借助一副三角尺的拼摆，你能画出 $75°$ 的角吗？$15°$ 呢？你还能画出哪些角？这些角有什么共同特征？

问题解决

4. 如图（甲），$\angle AOC$ 和 $\angle BOD$ 都是直角．

（1）如果 $\angle DOC = 28°$，那么 $\angle AOB$ 的度数是多少？

（2）找出图（甲）中相等的角．如果 $\angle DOC \neq 28°$，它们还会相等吗？

（3）若 $\angle DOC$ 变小，则 $\angle AOB$ 如何变化？

（4）在图（乙）中利用能够画直角的工具再画一个与 $\angle COB$ 相等的角．

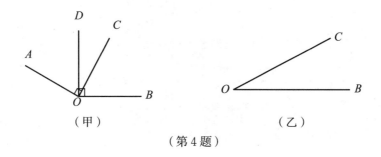

（甲）　　　　　　　　　　（乙）

（第4题）

有哪些熟悉的平面图形?

三角形、四边形、五边形、六边形等都是**多边形**❶（polygon），它们都是由若干条不在同一直线上的线段首尾顺次相连组成的封闭平面图形.

如图 4—22，在多边形 ABCDE 中，点 A，B，C，D，E 是多边形的顶点；线段 AB，BC，CD，DE，EA 是多边形的边；∠EAB，∠ABC，∠BCD，∠CDE，∠DEA 是多边形的内角（可简称为多边形的角）；AC，AD 都是连接不相邻两个顶点的线段，像这样的线段叫做多边形的**对角线**（diagonal）.

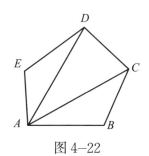

图 4—22

你还能画出图中其他的对角线吗?

---

❶ 如没有特别说明，本书所说的多边形都是指凸多边形，即多边形总在任何一条边所在直线的同一侧.

做一做

（1）n 边形有多少个顶点、多少条边、多少个内角？

（2）过 n 边形的每一个顶点有几条对角线？

议一议

观察下图中的多边形，它们的边、角有什么特点？与同伴进行交流.

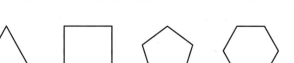

图 4-23

各边相等，各角也相等的多边形叫做**正多边形**. 图 4-23 中的多边形分别是正三角形、正四边形（正方形）、正五边形、正六边形、正八边形.

做一做

上面的图形中有我们熟悉的圆和扇形，你还记得用哪些方法可以画一个圆吗？你能用一根细绳和笔画出一个圆吗？

如图 4-24，平面上，一条线段绕着它固定的一个端点旋转一周，另一个端点形成的图形叫做圆（circle）. 固定的端点 O 称为圆心（center of a circle），线段 OA 称为半径（radius）.

圆上任意两点 A，B 间的部分叫做**圆弧**，简称**弧**（arc），记作 $\overset{\frown}{AB}$，读作"圆弧 AB"或"弧 AB"；由

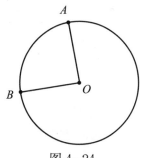

图 4-24

一条弧 AB 和经过这条弧的端点的两条半径 OA, OB 所组成的图形叫做**扇形**（sector）；顶点在圆心的角叫做**圆心角**（central angle）.

例 将一个圆分割成三个扇形，它们的圆心角的度数比为 1:2:3，求这三个扇形的圆心角的度数.

解：因为一个周角为 $360°$，所以分成的三个扇形的圆心角分别是：

$$360° \times \frac{1}{1+2+3} = 60°, \qquad 360° \times \frac{2}{1+2+3} = 120°,$$

$$360° \times \frac{3}{1+2+3} = 180°.$$

 议一议

（1）如图 4-25，将一个圆分成三个大小相同的扇形，你能算出它们的圆心角的度数吗？你知道每个扇形的面积和整个圆的面积的关系吗？与同伴进行交流.

（2）画一个半径是 2 cm 的圆，并在其中画一个圆心角为 $60°$ 的扇形，你会计算这个扇形的面积吗？与同伴进行交流.

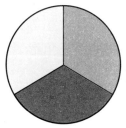

图 4-25

随堂练习

1. 现实生活中有许多正多边形的实例，试举出两例.

2. 如图，把一个圆分成三个扇形，你能求出这三个扇形的圆心角吗？

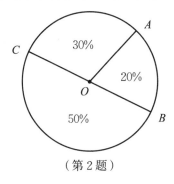

（第 2 题）

1. 观察如图所示图形，回答下列问题：

（1）从八边形 $ABCDEFGH$ 的顶点 A 出发，可以画出多少条对角线？分别用字母表示出来；

（2）这些对角线将八边形分割成多少个三角形？

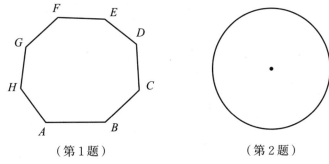

（第1题）　　　　　　　　　（第2题）

2. 半径为1的圆中，扇形 AOB 的圆心角为 $120°$，请在圆内画出这个扇形并求它的面积.

数学理解

3. 过某个多边形一个顶点的所有对角线，将这个多边形分成5个三角形，这个多边形是几边形？

回顾与思考

1. 生活中有哪些你熟悉的平面图形？举例说明.

2. 找一找生活中你喜欢的图案，说说它是由哪些基本几何图形组成的.

3. 选择几种基本几何图形设计一个你喜欢的图案，说明寓意并与同伴交流.

4. 通过本章的学习，你知道了哪些比较线段长短的方法？比较角的大小呢？它们之间有什么相似之处？

5. 梳理本章内容，用适当的方式呈现全章知识结构，并与同伴进行交流.

复习题

 知识技能

1. 如图，在同一平面内有四个点 A，B，C，D，请用直尺按下列要求作图：

（1）作射线 CD；（2）作直线 AD；（3）连接 AB；

（4）作直线 BD 与直线 AC 相交于点 O.

A $•D$

$B•$ $•C$

（第1题）

2. 将弯曲的河道改直，可以缩短航程，请说说其中的道理.

3. 如图，$\angle ABC$ 是平角，过点 B 任作一条射线 BD 将 $\angle ABC$ 分成 $\angle DBA$ 与 $\angle DBC$，当 $\angle DBA$ 是什么角时，

（1）$\angle DBA < \angle DBC$？（2）$\angle DBA > \angle DBC$？（3）$\angle DBA = \angle DBC$？

（第3题）

（第4题）

4. 一副三角尺拼成如图所示的图案，求 $\angle EFC$，$\angle CED$，$\angle AFC$ 的度数.

5. 如图，分别求出甲、乙、丙三个扇形的圆心角的度数.

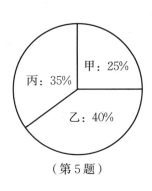

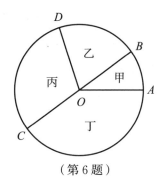

（第5题）　　　　　　　（第6题）

6. 如图，甲、乙、丙、丁四个扇形的面积之比为 $1:2:3:4$，分别求出它们圆心角的度数.

数学理解

7. 建筑工人砌墙时，经常先在两端立桩拉线，然后沿着线砌墙，你能说出这是什么道理吗？

问题解决

8. 如图，已知线段 a，直线 AB 与直线 CD 相交于点 O，利用尺规按下列要求作图：

（1）在射线 OA，OB，OC，OD 上作线段 OA'，OB'，OC'，OD'，使它们分别与线段 a 相等；

（2）连接 $A'C'$，$C'B'$，$B'D'$，$D'A'$.
你得到了一个怎样的图形？与同伴进行交流.

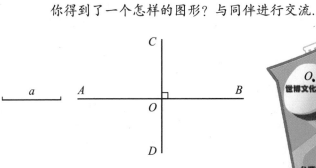

（第8题）

9. 上海世博景区一角如图所示.

（1）比较世博文化中心 O 到香港馆 C 的距离 OC 和世博文化中心 O 到 A13 区中心 D 的距离 OD 的远近，并与同伴交流你的想法；

（第9题）

（2）估计台湾馆、中国国家馆、中心广场、亚洲广场分别位于世博文化中心的南偏东多少度，然后再量一量，验证你的估计.

联系拓广

※**10.** 如图，在任意四边形 $ABCD$ 内找一点 O，使它到四边形四个顶点的距离之和最小，并说说你的理由.

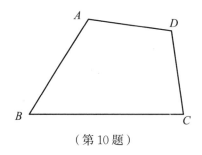

（第10题）

第五章　一元一次方程

丢番图（Diophantus）是古希腊数学家. 人们对他的生平事迹知道得很少，但流传着一篇墓志铭叙述了他的生平：

坟中安葬着丢番图，多么令人惊讶，它忠实地记录了其所经历的人生旅程. 上帝赐予他的童年占六分之一，又过十二分之一他两颊长出了胡须，再过七分之一，点燃了新婚的蜡烛. 五年之后喜得贵子，可怜迟到的宁馨儿，享年仅及其父之半便入黄泉. 悲伤只有用数学研究去弥补，又过四年，他也走完了人生的旅途.

——出自《希腊诗文选》（The Greek Anthology）第126题

你能用方程求出丢番图去世时的年龄吗？

你对方程有什么认识？列方程解决实际问题的关键是什么？

本章将学习一元一次方程的概念、解法和应用，充分感受方程的模型思想.

学习目标

- 感受方程是刻画现实生活中等量关系的有效模型
- 掌握等式的基本性质，能解一元一次方程
- 能用一元一次方程解决一些简单的实际问题
- 在探索一元一次方程解法的过程中，感受转化思想

如果设小彬的年龄为 x 岁，那么"乘 2 再减 5"就是 _____，因此可以得到方程：_____.

小颖种了一株树苗，开始时树苗高为 40 cm，栽种后每周树苗长高约 5 cm，大约几周后树苗长高到 1 m？

如果设 x 周后树苗长高到 1 m，那么可以得到方程：_____.

甲、乙两地相距 22 km，张叔叔从甲地出发到乙地，每时比原计划多行走 1 km，因此提前 12 min 到达乙地．张叔叔原计划每时行走多少千米？

设张叔叔原计划每时行走 x km，可以得到方程：_____.

根据第六次全国人口普查统计数据，截至 2010 年 11 月 1 日 0 时，全国每 10 万人中具有大学文化程度的人数为 8 930 人，与 2000 年第五次全国人口普查相比增长了 147.30%．2000 年第五次全国人口普查时每 10 万人中约有多少人具有大学文化程度？

如果设 2000 年第五次全国人口普查时每 10 万人中约有 x 人具有大学文化程度，那么可以得到方程：_____.

某长方形操场的面积是 $5\,850\ \text{m}^2$，长和宽之差为 $25\ \text{m}$．这个操场的长与宽分别是多少米？

如果设这个操场的宽为 $x\ \text{m}$，那么长为 $(x+25)\ \text{m}$．由此可以得到方程：_____．

> 上述不同的数量关系都能够用方程这个模型表达！

议一议

（1）由上面的问题你得到了哪些方程？其中哪些是你熟悉的方程？与同伴进行交流．

（2）方程 $2x-5=21$，$40+5x=100$，$x(1+147.30\%)=8\,930$ 有什么共同点？

在一个方程中，只含有一个未知数，而且方程中的代数式都是整式，未知数的指数都是 1，这样的方程叫做**一元一次方程**（linear equation with one unknown）．

使方程左、右两边的值相等的未知数的值，叫做**方程的解**.❶

随堂练习

1．根据题意列出方程：

（1）在一卷公元前 1600 年左右遗留下来的古埃及纸草书中，记载着一些数学问题．其中一个问题翻译过来是："啊哈，它的全部，它的 $\dfrac{1}{7}$，其和等于 19."你能求出问题中的"它"吗？

（2）甲、乙两队开展足球对抗赛，规定每队胜一场得 3 分，平一场得 1 分，负一场得 0 分．甲队与乙队一共比赛了 10 场，甲队保持了不败记录，一共得了 22 分．甲队胜了多少场？平了多少场？

2．$x=2$ 是下列方程的解吗？

（1）$3x+(10-x)=20$；

（2）$2x^2+6=7x$．

---

❶ 我国古代称未知数为元，只含有一个未知数的方程叫做一元方程，一元方程的解也叫根．

知识技能

1. 根据题意列出方程：

（1）一个数的 $\frac{1}{7}$ 与 3 的差等于最大的一位数，求这个数；

（2）从正方形的铁皮上，截去 2 cm 宽的一个长方形条，余下的面积是 80 cm²，那么原来的正方形铁皮的边长是多少？

数学理解

2. 请用自己的年龄编一道问题，并列出方程.

问题解决

3. 根据题意列出方程：

（1）根据第六次全国人口普查统计数据，截至 2010 年 11 月 1 日 0 时，全国每 10 万人中只具有小学文化程度的人数为 26 779 人，与 2000 年第五次全国人口普查相比减少了 24.99%. 2000 年第五次全国人口普查时每 10 万人中约有多少人只具有小学文化程度？

（2）某商店规定：超过 15 000 元的物品可以采用分期付款方式付款，顾客可以先付 3 000 元，以后每月付 1 500 元. 王叔叔想用分期付款的形式购买价值 19 500 元的电脑，他需要用多长时间才能付清全部货款？

还记得上一课小华和小彬猜年龄的问题吗？你能帮小彬解开那个年龄之谜吗？你能解方程 $5x = 3x + 4$ 吗？

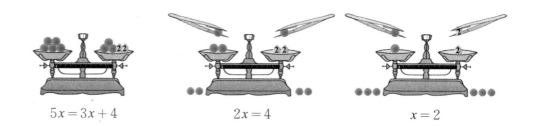

$5x = 3x + 4$ $2x = 4$ $x = 2$

等式的基本性质：

等式两边同时加（或减）同一个代数式，所得结果仍是等式.

等式两边同时乘同一个数（或除以同一个不为0的数），所得结果仍是等式.

利用等式的基本性质可以解一元一次方程.

例1 解下列方程：

（1）$x+2=5$；

（2）$3=x-5$.

解：（1）方程两边同时减2，得

$$x+2-2=5-2.$$

于是 $x=3$.

（2）方程两边同时加5，得

$$3+5=x-5+5.$$

于是 $8=x$.

习惯上，我们写成$x=8$.

把求出的解代入原方程，可以检验解方程是否正确. 如把$x=3$代入方程$x+2=5$，左边$=3+2=5$，右边$=5$，左边$=$右边，所以$x=3$是方程$x+2=5$的解.

例2 解下列方程：

（1）$-3x=15$；

（2）$-\dfrac{n}{3}-2=10$.

解：（1）方程两边同时除以-3，得

$$\frac{-3x}{-3}=\frac{15}{-3}.$$

化简，得 $x=-5$.

（2）方程两边同时加2，得

$$-\frac{n}{3}-2+2=10+2.$$

化简，得 $-\dfrac{n}{3}=12$.

方程两边同时乘-3，得

$$n=-36.$$

随堂练习

1. 解下列方程：

（1）$x-9=8$；

（2）$5-y=-16$；

（3）$3x+4=-13$；

（4）$\dfrac{2}{3}x-1=5$.

2. 小红编了一道题：我是4月出生的，我的年龄的2倍加上8，正好是我出生那一月的总天数. 你猜我有几岁？请你求出小红的年龄.

1. 解下列方程：

（1）$x + 21 = 36$；

（2）$8 = 7 - 2y$；

（3）$\dfrac{5}{12}x - \dfrac{1}{3} = -\dfrac{1}{4}$；

（4）$\dfrac{1}{9} = \dfrac{x}{3} - \dfrac{1}{6}$.

2. 设"●""▲""■"表示三种不同的物体，现用天平称了两次，情况如图所示：

则下列图形正确的是（　　　）.

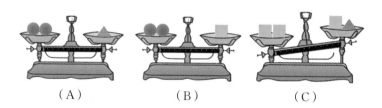

（A）　　　　　　　（B）　　　　　　　（C）

3. 小颖碰到这样一道解方程的题：$2x = 5x$，她在方程的两边都除以 x，竟然得到 $2 = 5$. 你能说出她错在哪里吗？

问题解决

4. 地球上的海洋面积约为陆地面积的 2.4 倍，地球的表面积约为 5.1 亿 km^2，求地球上的海洋面积和陆地面积（四舍五入到 0.1 亿 km^2）.

5. 求解习题 5.1 的第 1（1）题.

6. 求解上一课中的树苗问题.

7. 足球的表面是由若干黑色五边形和白色六边形皮块围成的，黑、白皮块的数目比为 3：5. 一个足球的表面一共有 32 个皮块，黑色皮块和白色皮块各有多少？

（第 7 题）

② 求解一元一次方程

解方程：$5x - 2 = 8$.

方程两边同时加 2，得

$$5x - 2 + 2 = 8 + 2,$$

也就是 $\qquad 5x = 8 + 2$.

比较这个方程与原方程，可以发现，这个变形相当于

$$5x - 2 = 8,$$

$$5x = 8 + 2.$$

即把原方程中的 -2 改变符号后，从方程的一边移到另一边，这种变形叫**移项**（transposition of terms）.

因此，方程 $5x - 2 = 8$ 也可以这样解：

移项，得 $\qquad 5x = 8 + 2$.

化简，得 $\qquad 5x = 10$.

方程两边同除以 5，得 $x = 2$.

例1 解下列方程：

（1）$2x + 6 = 1$; $\qquad\qquad$ （2）$3x + 3 = 2x + 7$.

解：（1）移项，得 $\quad 2x = 1 - 6$.

化简，得 $\qquad 2x = -5$.

方程两边同除以 2，得 $x = -\dfrac{5}{2}$.

（2）移项，得 $\qquad 3x - 2x = 7 - 3$.

合并同类项，得 $\qquad x = 4$.

例2 解方程：$\dfrac{1}{4}x = -\dfrac{1}{2}x + 3$.

解：移项，得 $\frac{1}{4}x + \frac{1}{2}x = 3.$

合并同类项，得 $\frac{3}{4}x = 3.$

方程两边同除以 $\frac{3}{4}$（或同乘 $\frac{4}{3}$），得 $x = 4.$

随堂练习

解下列方程：

（1）$10x - 3 = 9$；

（2）$5x - 2 = 7x + 8$；

（3）$x = \frac{3}{2}x + 16$；

（4）$1 - \frac{3}{2}x = 3x + \frac{5}{2}.$

习题 5.3

 知识技能

1. 解下列方程：

（1）$4x - 2 = 3 - x$；

（2）$-7x + 2 = 2x - 4$；

（3）$-x = -\frac{2}{5}x + 1$；

（4）$2x - \frac{1}{3} = -\frac{x}{3} + 2.$

2. 求解习题 5.1 第 3 题.

 问题解决

3. 某航空公司规定：乘坐飞机普通舱旅客每人最多可免费托运 20 kg 行李，超过部分每千克按飞机票价的 1.5% 购买行李票. 一名旅客托运了 35 kg 行李，机票连同行李费共付 1 323 元，求该旅客的机票票价.

1 听果奶饮料多少钱？

如果设 1 听果奶饮料 x 元，那么可列出方程 $4(x+0.5)+x=10-3$.

 想一想

（1）上面这个方程列得对吗？为什么？你还能列出不同的方程吗？

（2）怎样解所列的方程？

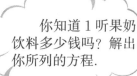

例3 解方程：$4(x+0.5)+x=7$.

解：去括号，得　$4x+2+x=7$.

移项，得　　　　　$4x+x=7-2$.

合并同类项，得　　　$5x=5$.

方程两边同除以 5，得　$x=1$.

例4 解方程：$-2(x-1)=4$.

解法一：去括号，得

$$-2x+2=4.$$

移项，得　　　　　$-2x=4-2$.

化简，得　　　　　$-2x=2$.

方程两边同除以 -2，得 $x=-1$.

解法二：方程两边同除以 -2，得

$$x-1=-2.$$

移项，得　　　　　$x=-2+1$,

即　　　　　　　$x=-1$.

议一议

观察例4两种解方程的方法, 说出它们的区别, 与同伴进行交流.

随堂练习

解下列方程:

(1) $5(x-1)=1$;

(2) $2-(1-x)=-2$;

(3) $11x+1=5(2x+1)$;

(4) $4x-3(20-x)=3$;

(5) $5(x+8)-5=0$;

(6) $2(3-x)=9$;

(7) $-3(x+3)=24$;

(8) $-2(x-2)=12$.

习题 5.4

知识技能

1. 解下列方程:

(1) $12(2-3x)=4x+4$;

(2) $6-3(x+\frac{2}{3})=\frac{2}{3}$;

(3) $2(200-15x)=70+25x$;

(4) $3(2x+1)=12$.

2. 如果用 c 表示摄氏温度 (℃), f 表示华氏温度 (℉), 那么 c 与 f 之间的关系是:

$c=\frac{5}{9}(f-32)$. 已知 $c=15$℃, 求 f.

问题解决

3. 一个两位数, 十位数字是个位数字的 2 倍, 将两个数字对调后得到的两位数比原来的数小 36, 求这个两位数.

例5 解方程: $\frac{1}{7}(x+14)=\frac{1}{4}(x+20)$.

解法一: 去括号, 得 $\frac{1}{7}x+2=\frac{1}{4}x+5$.

移项、合并同类项，得 $-3 = \dfrac{3}{28}x.$

两边同除以 $\dfrac{3}{28}$（或同乘 $\dfrac{28}{3}$），得 $-28 = x,$

即 $x = -28.$

解法二： 去分母，得 $4(x+14) = 7(x+20).$

去括号，得 $4x + 56 = 7x + 140.$

移项、合并同类项，得 $-3x = 84.$

方程两边同除以 -3，得 $x = -28.$

 想一想

解一元一次方程有哪些步骤？

解一元一次方程，一般要通过去分母、去括号、移项、合并同类项、未知数的系数化为 1 等步骤，把一个一元一次方程"转化"成 $x = a$ 的形式.

例6 解方程：$\dfrac{1}{5}(x+15) = \dfrac{1}{2} - \dfrac{1}{3}(x-7).$

解： 去分母，得 $6(x+15) = 15 - 10(x-7).$

去括号，得 $6x + 90 = 15 - 10x + 70.$

移项、合并同类项，得 $16x = -5.$

方程两边同除以 16，得 $x = -\dfrac{5}{16}.$

随堂练习

解下列方程：

（1）$\dfrac{3-x}{2} = \dfrac{x+4}{3}$；

（2）$\dfrac{1}{3}(x+1) = \dfrac{1}{7}(2x-3)$；

（3）$\dfrac{x+2}{5} = \dfrac{x}{4}$；

（4）$\dfrac{1}{4}(x+1) = \dfrac{1}{3}(x-1)$；

（5）$\dfrac{2x-1}{3} = \dfrac{x+2}{4} - 1$；

（6）$\dfrac{1}{2}(x-1) = 2 - \dfrac{1}{5}(x+2)$.

 读一读

方程小史

古埃及是数学的发源地之一．早在公元前650年，古埃及人就在纸草书(纸草是生长在尼罗河流域的一种水草，古埃及人将它的茎叶压成薄片用来写字)上写下了含有未知数的问题．12世纪前后，我国数学家用"天元术"来解题，即先要"立天元为某某"，相当于"设 x 为某某"．14世纪初，元朝数学家朱世杰创立了"四元术"（四元指天、地、人、物，相当于四个未知数，如 x, y, z, w），这是中国古代数学的一次飞跃．

 习题 5.5

◆ 知识技能

1. 解下列方程：

（1） $\frac{1}{4}x - \frac{1}{2} = \frac{3}{4}$;

（2） $\frac{7x-5}{4} = \frac{3}{8}$;

（3） $\frac{2x-1}{6} = \frac{5x+1}{8}$;

（4） $\frac{1}{2}x - 7 = \frac{9x-2}{6}$;

（5） $\frac{1}{5}x - \frac{1}{2}(3-2x) = 1$;

（6） $\frac{2x+1}{3} - \frac{5x-1}{6} = 1$;

（7） $\frac{1}{7}(2x+14) = 4-2x$;

（8） $\frac{3}{10}(200+x) - \frac{2}{10}(300-x) = 300 \times \frac{9}{25}$.

🔓 问题解决

2. 小川今年6岁，他的祖父72岁．几年后小川的年龄是他祖父年龄的 $\frac{1}{4}$？

3. 蜘蛛有8条腿，蜻蜓有6条腿．现有蜘蛛、蜻蜓若干只，它们共有120条腿，且蜻蜓的只数是蜘蛛的2倍．蜘蛛、蜻蜓各有多少只？

3 应用一元一次方程——水箱变高了

图 5—1

某居民楼顶有一个底面直径和高均为 4 m 的圆柱形储水箱. 现该楼进行维修改造, 为减少楼顶原有储水箱的占地面积, 需要将它的底面直径由 4 m 减少为 3.2 m. 那么在容积不变的前提下, 水箱的高度将由原先的 4 m 变为多少米?

在这个问题中有如下的等量关系: 旧水箱的容积 ＝ 新水箱的容积.

设水箱的高变为 x m, 填写下表:

	旧水箱	新水箱
底面半径/m		
高/m		
容积/m³		

根据等量关系, 列出方程:

_____ .

解得 $x =$ _____ .

因此, 水箱的高变成了 _____ m.

列方程时, 关键是找出问题中的等量关系.

例 用一根长为 10 m 的铁丝围成一个长方形.

（1）使得该长方形的长比宽多 1.4 m, 此时长方形的长、宽各为多少米?

（2）使得该长方形的长比宽多 0.8 m, 此时长方形的长、宽各为多少米? 它所围成的长方形与（1）中所围长方形相比, 面积有什么变化?

（3）使得该长方形的长与宽相等, 即围成一个正方形, 此时正方形的边长是多少米? 它所围成的面积与（2）中相比又有什么变化?

分析: 由题意可知, 长方形的周长始终是不变的, 即长与宽的和为:

$10 \times \dfrac{1}{2} = 5 (\text{m})$. 在解决这个问题的过程中, 要抓住这个等量关系.

解：（1）设此时长方形的宽为 x m，则它的长为 $(x+1.4)$ m.

根据题意，得 $x+x+1.4=10\times\dfrac{1}{2}$.

解这个方程，得 $x=1.8$.

$$1.8+1.4=3.2.$$

此时长方形的长为 3.2 m，宽为 1.8 m.

（2）设此时长方形的宽为 x m，则它的长为 $(x+0.8)$ m.

根据题意，得 $x+x+0.8=10\times\dfrac{1}{2}$.

解这个方程，得 $x=2.1$.

$$2.1+0.8=2.9.$$

此时长方形的长为 2.9 m，宽为 2.1 m，面积为 $2.9\times2.1=6.09$（m^2），（1）中长方形的面积为 $3.2\times1.8=5.76$（m^2）. 此时长方形的面积比（1）中长方形的面积增大 $6.09-5.76=0.33$（m^2）.

（3）设正方形的边长为 x m.

根据题意，得

$$x+x=10\times\dfrac{1}{2}.$$

同样长的铁丝可以围更大的地方.

解这个方程，得 $x=2.5$.

正方形的边长为 2.5 m，

正方形的面积为

$$2.5\times2.5=6.25\,(m^2),$$

比（2）中面积增大

$$6.25-6.09=0.16\,(m^2).$$

随堂练习

墙上钉着用一根彩绳围成的梯形形状的饰物，如右图实线所示（单位：cm）. 小颖将梯形下底的钉子去掉，并将这条彩绳钉成一个长方形，如右图虚线所示. 小颖所钉长方形的长、宽各为多少厘米？

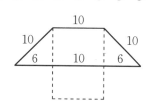

读一读

"瞎转圈"的道理

有人曾经做过一个很有趣的实验：在草坪上整齐地排列着100名飞行员，把他们的眼睛都蒙起来，然后叫他们一直向前走去．起初，他们走得还比较直；接着一些人渐渐向右偏转，另一些人向左偏转，逐渐转起圈来，最后他们又踏上了自己已走过的路径．实际上，很久以前人们就已经注意到：没有携带指南针在荒漠中的旅行家，都不能走成直线方向，而是绕着圆圈打转，接连多次回到他的出发点．

图 5-2

上面的现象看起来仿佛有点神秘，其实道理并不复杂．人走路的时候，只有两腿肌肉工作得完全相同，他才可以不需要用眼睛就能走成直线．但实际上，绝大多数人的双腿肌肉发育得并不相同．举一个例子来说，一位步行者左腿比右腿迈的步子大，除非用眼睛来帮助修正走路的方向，否则他就要向右边斜过去，直至走成两个同心圆（如图5-3所示）．如果他左右两腿走路的时候踏脚线间的距离大约是 10 cm，即 0.1 m，那么当这个人走完一个圆周时，他右腿走的路途是 $2\pi R$，左腿是 $2\pi(R+0.1)$，两腿行走距离的差为 $2\pi \times 0.1 = 0.2\pi(\mathrm{m})$．

0.1 m

图 5-3

另一方面，如果他行走一圈的平均步长为 0.7 m，那么走完一圈所走步数可以近似地等于 $\dfrac{2\pi R}{0.7}$，即左右腿所走步数都可以近似地看做 $\dfrac{2\pi R}{2\times 0.7}$．把这个结果乘两腿步长差 x，就应为两腿行走一圈长度的差 0.2π m，即

$$\frac{2\pi Rx}{2\times 0.7} = 0.2\pi.$$

$$Rx = 0.14.$$

如果这个人左腿每一步比右腿多 0.4 mm，那么蒙上眼睛后他所走圆周的半径满足方程 $0.0004R = 0.14$，即 R 大约为 350 m．

数学理解

1. 两个圆柱体容器如图所示，它们的直径分别为 4 cm 和 8 cm，高分别为 39 cm 和 10 cm. 我们先在第二个容器中倒满水，然后将其倒入第一个容器中. 问：倒完以后，第一个容器中的水面离容器口有多少厘米？小刚是这样做的：设倒完以后，第一个容器中的水面离容器口有 x cm. 列方程 $\pi \times 2^2 \times (39-x) = \pi \times 4^2 \times 10$. 解得 $x = -1$. 你能对他的结果作出合理的解释吗？

（第 1 题）

问题解决

2. 第一块试验田的面积比第二块试验田面积的 3 倍还多 100 m^2，这两块试验田面积共 2 900 m^2，两块试验田的面积分别是多少？

3. 如图，小强将一个正方形纸片剪去一个宽为 4 cm 的长条后，再从剩下的长方形纸片上剪去一个宽为 5 cm 的长条. 如果两次剪下的长条面积正好相等，那么每一个长条的面积为多少？

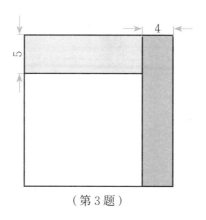

（第 3 题）

一家商店将某种服装按成本价提高 40% 后标价，又以 8 折优惠卖出，结果每件仍获利 15 元，这种服装每件的成本是多少元？

 想一想

设每件服装的成本价为 x 元，你能用含 x 的代数式表示其他的量吗？问题中有怎样的等量关系？

每件服装的标价为：_____ ；

每件服装的实际售价为：_____ ；

每件服装的利润为：_____ ；

由此，列出方程：_____ ；

解方程，得 $x =$ _____ .

因此每件服装的成本价是 _____ 元.

例 某商场将某种商品按原价的 8 折出售，此时商品的利润率是 10%. 已知这种商品的进价为 1 800 元，那么这种商品的原价是多少？

分析：利润率 $= \dfrac{利润}{成本} = \dfrac{售价-成本}{成本}$，在解决这类问题的过程中，要抓住这个等量关系. 由于本例中只提到售价、进价和利润率，因此我们可以用"进价"代替"成本".

解：设商品原价是 x 元，根据题意，得

$$\frac{80\%\, x - 1\,800}{1\,800} = 10\%.$$

解这个方程，得 $x = 2\,475.$

因此，这种商品的原价为 2 475 元.

随堂练习

一件夹克按成本价提高 50% 后标价，后因季节关系按标价的 8 折出售，每件以 60 元卖出. 这批夹克每件的成本价是多少元？

习题 5.7

数学理解

1. 到商场了解打折销售的情况，自己编写一道可以用方程解决的应用题，并给出解答.

问题解决

2. 一件商品按成本价提高 20% 后标价，又以 9 折销售，售价为 270 元. 这种商品的成本价是多少？

3. 某商场的电视机原价为 2 500 元，现以 8 折销售，如果想使降价前后的销售额都为 10 万元，那么销售量应增加多少台？

4. 某商品原先的利润率为 20%，为了促销，现降价 15 元销售，此时利润率下降为 10%. 那么这种商品的进价是多少？

某文艺团体为"希望工程"募捐组织了一场义演,共售出 1 000 张票,筹得票款 6 950 元. 成人票与学生票各售出多少张?

 议一议

上面的问题中包含哪些等量关系?

售出的票包括成人票和学生票,所得票款包括成人票款和学生票款,因此这个问题中包含着下面两个等量关系:

$$成人票数 + 学生票数 = 1 000 张, \qquad ①$$
$$成人票款 + 学生票款 = 6 950 元. \qquad ②$$

设售出的学生票为 x 张,填写下表:

	学生	成人
票数/张		
票款/元		

根据等量关系 ②，可列出方程：

_____ .

解得 $x =$ _____ .

因此，售出成人票 _____ 张，学生票 _____ 张.

设所得的学生票款为 y 元，填写下表：

	学生	成人
票数/张		
票款/元		

根据等量关系 ①，可列出方程：

_____ .

解得 $y =$ _____ .

因此，售出成人票 _____ 张，学生票 _____ 张.

 **想一想**

如果票价不变，那么售出 1 000 张票所得票款可能是 6 930 元吗？为什么？

议一议

用一元一次方程解决实际问题的一般步骤是什么？

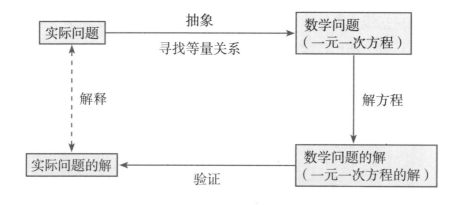

随堂练习

小彬用 172 元钱买了两种书，共 10 本，单价分别为 18 元、10 元．每种书小彬各买了多少本？

习题 5.8

数学理解

1. 在本节"希望工程"义演的问题中，如果票价和售出的总票数都不变，所得票款可能是 6 932 元吗？如果可能，成人票比学生票多售出多少张？

问题解决

2. 星星果汁店中的 A 种果汁比 B 种果汁每杯贵 1 元，小彬和同学买了 3 杯 B 种果汁、2 杯 A 种果汁，一共花了 16 元．A 种果汁、B 种果汁每杯分别是多少元？

3. 一个书架宽 88 cm，某一层上摆满了第一册的数学书和语文书，共 90 本．小红量得一本数学书厚 0.8 cm，一本语文书厚 1.2 cm．你知道这层书架上数学书和语文书各有多少本吗？

小明每天早上要在 7：50 之前赶到距家 1 000 m 的学校上学. 一天，小明以 80 m/min 的速度出发，5 min 后，小明的爸爸发现他忘了带语文书. 于是，爸爸立即以 180 m/min 的速度去追小明，并且在途中追上了他.

（1）爸爸追上小明用了多长时间？

（2）追上小明时，距离学校还有多远？

分析：当爸爸追上小明时，两人所行路程相等. 在解决这个问题时，要抓住这个等量关系.

$$\underbrace{80 \times 5}_{} \quad \underbrace{80x}_{}$$
$$\underbrace{180x}$$

图 5—4

解：（1）设爸爸追上小明用了 x min.

根据题意，得 $180x = 80x + 80 \times 5$.

化简，得 $100x = 400$.

$x = 4$.

因此，爸爸追上小明用了 4 min.

（2） $180 \times 4 = 720$（m），

$1\,000 - 720 = 280$（m）.

所以，追上小明时，距离学校还有 280 m.

画出线段图，关系就很清楚了.

议一议

育红学校七年级学生步行到郊外旅行．七（1）班的学生组成前队，步行速度为 4 km/h，七（2）班的学生组成后队，速度为 6 km/h．前队出发 1 h 后，后队才出发，同时后队派一名联络员骑自行车在两队之间不间断地来回进行联络，他骑车的速度为 12 km/h．

根据上面的事实提出问题并尝试去解答．

习题 5.9

 **数学理解**

1. 给定方程 $2.5x + 2.5(x + 2) = 55$，你能联系生活实际编写一道数学问题吗？

问题解决

2. 小彬和小强每天早晨坚持跑步，小彬每秒跑 4 m，小强每秒跑 6 m．

（1）如果他们站在百米跑道的两端同时相向起跑，那么几秒后两人相遇？

（2）如果小强站在百米跑道的起点处，小彬站在他前面 10 m 处，两人同时同向起跑，几秒后小强能追上小彬？

3. 一个自行车队进行训练，训练时所有队员都以 35 km/h 的速度前进．突然，1 号队员以 45 km/h 的速度独自行进，行进 10 km 后掉转车头，仍以 45 km/h 的速度往回骑，直到与其他队员会合．1 号队员从离队开始到与队员重新会合，经过了多长时间？

回顾与思考

1. 方程是刻画现实世界数量关系的有效模型. 用方程解决实际问题, 一般要经历哪些过程?

2. 在列方程解决实际问题的过程中, 你认为最关键的是什么?

3. 你是如何解一元一次方程的? 举一个例子说明解方程的过程.

4. 在解决实际问题的过程中, 你怎样判断一个方程的解是否符合要求? 请举例说明.

5. 梳理本章内容, 用适当的方式呈现全章知识结构, 并与同伴进行交流.

复习题

知识技能

1. 解下列方程:

（1）$\dfrac{5}{12}x - \dfrac{x}{4} = \dfrac{1}{3}$;

（2）$\dfrac{2}{3} - 8x = 3 - \dfrac{1}{2}x$;

（3）$0.5x - 0.7 = 6.5 - 1.3x$;

（4）$\dfrac{1}{6}(3x - 6) = \dfrac{2}{5}x - 3$;

（5）$3(x - 7) + 5(x - 4) = 15$;

（6）$4x - 3(20 - x) = -4$;

（7）$\dfrac{y-1}{2} = 2 - \dfrac{y+2}{5}$;

（8）$\dfrac{1}{3}(1 - 2x) = \dfrac{2}{7}(3x + 1)$.

2. 在公式 $s = s_0 + vt$ 中, 已知 $s = 100$, $s_0 = 25$, $v = 10$, 求 t.

 数学理解

3. 儿子今年 13 岁, 父亲今年 40 岁, 是否有哪一年父亲的年龄恰好是儿子年龄的 4 倍? 为什么?

问题解决

4. 王雷到鞋店花了 188 元买了一双皮鞋, 这双皮鞋是按标价打 8 折后售出的. 这双鞋的标价是多少元?

5. 把 100 分成两个数的和, 使第一个数加 3, 与第二个数减 3 的结果相等. 这两个数分别是多少?

6. 小刚和小强骑自行车去郊外游玩，事先决定早晨 8：00 从家里出发，预计每时骑 7.5 km，上午 10：00 可到达目的地．出发前他们又决定上午 9：00 到达目的地，那么每时要骑多少千米？

7. 爷爷与孙子下棋，爷爷赢 1 盘记 1 分，孙子赢 1 盘记 3 分，下了 8 盘，每盘都分出了胜负，此时两人得分相等．他们各赢了多少盘？

8. 某文件需要打印，小李独立做需要 6 h 完成，小王独立做需要 8 h 完成．如果他们俩共同做，需要多长时间完成？

9. 一收割机收割一块麦田，上午收割了麦田的 25%，下午收割了剩下麦田的 20%，结果还剩下 6 公顷麦田未收割．这块麦田一共有多少公顷？

10. 某商店出售两件衣服，每件 60 元，其中一件赚 25%，而另一件赔 25%，那么这家商店是赚了还是赔了，或是不赚也不赔呢？

11. 甲列车从 A 地开往 B 地，速度是 60 km/h，乙列车同时从 B 地开往 A 地，速度是 90 km/h．已知 A，B 两地相距 200 km，两车相遇的地方离 A 地多远？

※12. 把 99 拆成 4 个数的和，使得第一个数加 2，第二个数减 2，第三个数乘 2，第四个数除以 2，得到的结果都相等．应该怎样拆？

联系拓广

※13. 已知 $x = 5$ 是方程 $ax - 8 = 20 + a$ 的解，求 a 的值．

第六章　数据的收集与整理

你在生活中见过类似的图吗？你能读懂这些图吗？

在日常生活中，我们经常要和数据打交道，你知道这些数据是如何获得的吗？杂乱的数据难以反映其中蕴含的信息，我们需要整理并采用合适的统计图表示数据．不同的统计图在表示数据时各有什么特点？你能从统计图中获得哪些信息呢？

本章我们将经历调查的全过程，着重感受收集数据、整理和表示数据这两个环节．

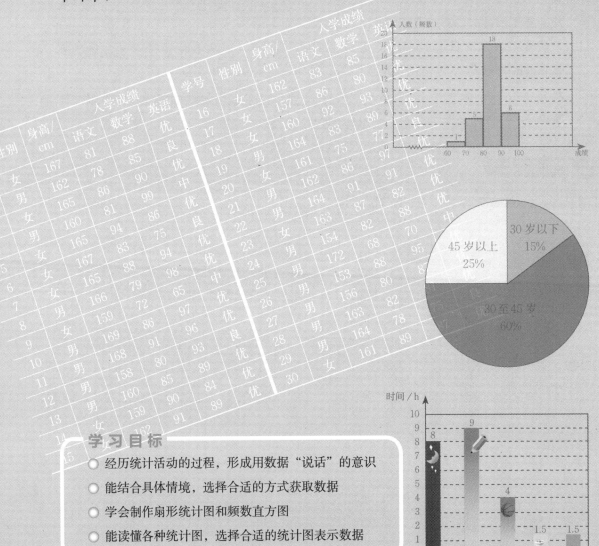

学习目标

- 经历统计活动的过程，形成用数据"说话"的意识
- 能结合具体情境，选择合适的方式获取数据
- 学会制作扇形统计图和频数直方图
- 能读懂各种统计图，选择合适的统计图表示数据

2010 年春，我国西南五省市遭受了特大的干旱，水资源问题成为全社会关注的热点．小颖和小明对水资源问题也很感兴趣，他们各自进行了调查．

小颖想了解她所在的城市的用水量情况，于是她查找资料，得到了下面的统计图．

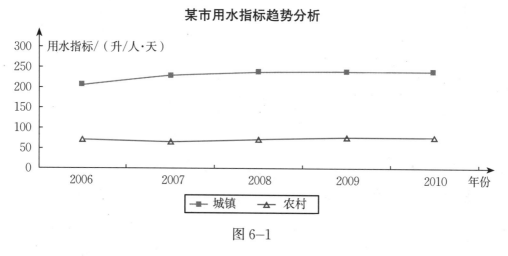

图 6-1

从小颖的统计图中，你能得到什么信息？

小明想了解周围的人是否具有节水的意识，于是他设计了一份简单的调查问卷，并到小区里随机调查了 40 人，他将部分调查结果制成了统计图．

小明的调查问卷：

调查问卷

年龄：＿＿＿＿＿＿＿岁

1. 你在刷牙时会一直开着水龙头吗？
   A．经常这样　　　B．有时这样　　　C．从不这样
2. 你会将用过的水另作他用吗？例如，用洗衣服的水拖地、冲厕所等．
   A．经常这样　　　B．有时这样　　　C．从不这样

小明绘制的统计图：

被调查者的年龄结构

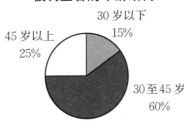

图 6-2

问题1中各年龄段选择"从不这样"的情况

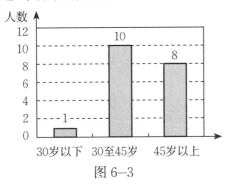

图 6-3

问题2中各年龄段选择"经常这样"的情况

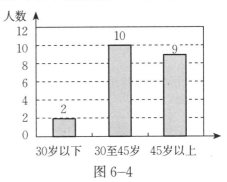

图 6-4

（1）在小明调查的40人中，各年龄段分别有多少人接受了调查？

（2）通过小明给出的调查数据，你认为哪个年龄段的人最具有节水意识？

 做一做

请你用小明的调查问卷在全班做一个调查，收集问题1和问题2的调查结果，填入下表：

问题1的调查结果

选项	A. 经常这样	B. 有时这样	C. 从不这样
人数			

问题2的调查结果

选项	A. 经常这样	B. 有时这样	C. 从不这样
人数			

根据你的调查，你认为班级同学在节约用水方面做得怎样？

议一议

从事一个统计活动大致要经历哪些过程？

 想一想

（1）如果想了解我国水资源的总量、人均水资源占有量，你打算怎样获得这些数据呢？

（2）为了得到"抛掷一枚均匀的硬币 50 次，出现正面朝上的次数"，你打算如何收集这个数据？

（3）获得数据的常用方式有哪些？

> 上面活动中的统计数据是怎么得到的呢？

我们经常通过调查、试验等方式获得数据信息.

当调查或试验项目很大，我们个人无法完成时，还可以通过查阅报纸、相关文献或上网的方式，获得数据信息. 国家统计局的网站（www.stats.gov.cn）就是查资料的好地方. 当然你也可以利用搜索引擎，输入你需要的关键词查找资料.

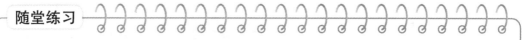
随堂练习

有人针对公交车上是否主动让座做了一次调查，结果如下：

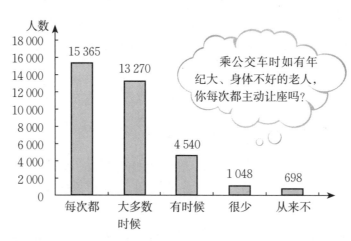

> 乘公交车时如有年纪大、身体不好的老人，你每次都主动让座吗？

（1）参与本次调查的人数是多少？

（2）"从来不让座的人"占调查总人数的百分比是多少？

（3）面对以上的调查结果，你还能得到什么结论？

读一读

设计调查问卷

做调查时，有时需要我们自己设计调查问卷．问卷设计是否准确、科学，将直接影响数据收集的质量．那么在设计调查问卷时，应注意什么呢？

一份问卷的设计往往包括问题的设计和答案的设计，我们先从问题的设计说起．

首先，问题的表述要清楚，避免使用含义不明确的词语．例如，"您是否经常看电视？"这一问题中，"经常"的标准是什么？不同的被调查者会有不同的理解，这样就影响了数据的质量．

其次，问题的表述不能太长，一个问题只能包含一个内容．问题太长容易引起被调查者的厌烦情绪，会降低问卷的回收率和有效率．包含的内容太多，则会使被调查者不知怎么回答．例如，"您喜欢乒乓球、足球、篮球吗？"这一问题就有明显的缺陷，因为有人可能只喜欢其中的一种或两种，回答"是"或"否"都不好，这时最好的方法就是把原问题分解成三个小问题．

另外，不要直接提敏感或隐私性问题，如"你家的存款有 _____ 元？"如果确实需要了解，也要使用一些特殊的技巧来处理．比如，可以将问题设计成选择题，答案设计成分段的形式，这样会比直接提问要好一些．

还要说明的是，问题不能带有诱导性和倾向性，要保持客观中立．也就是说，问题不能流露出调查者本人的倾向和暗示，以免左右被调查者的回答．例如，"你是否赞成养狗以更好地提高居家安全？"更容易引导被调查者回答"赞成养狗"，而"你是否赞成禁止养狗以预防狂犬病？"则有引导被调查者回答"赞成禁止养狗"的倾向．

在答案设计时，也有几点要特别注意．

第一，答案要互斥．也就是说，一个问题所列出的全部答案必须互不相容，互不重叠，否则被调查者可能作出有重复内容的双重选择，影响调查结果．

第二，答案要穷尽．只有将全部可能的答案都列出，才能使每个被调查者有答案可选，不至于因为无合适的答案而放弃回答．为防止答案遗漏，有时可用"其他"作为弥补选项．

选一个主题，亲自设计一份调查问卷吧！

 知识技能

1. 请你通过查阅资料的形式，回答下列问题：

   （1）地球上淡水资源占总水量的百分比是多少？我国淡水资源的总量约为多少立方米？人均为多少立方米？

   （2）从 1949 年中华人民共和国成立到现在，我国进行过几次国庆大阅兵？分别在哪些年份举行？其中 60 周年国庆大阅兵有多少个徒步方队、装备方队和空中梯队受阅？

问题解决

2. 某年母亲节，某电视台作了一个调查，结果如图所示.

   （1）从这幅图中，你得到什么信息？有什么感想？

   （2）就这个问题，对全班同学进行调查，看看结果怎样.

（第 2 题）

3. 从 1984 年起，我国先后参加了第 23 至 29 届夏季奥运会，取得了骄人的成绩.

   （1）查阅资料，了解我国在历届夏季奥运会金牌榜上的排名，以及所获金牌总数、奖牌总数、奖牌分布等情况；

   （2）你能从查阅到的图表中得到哪些信息？你有什么感触？与同学进行交流.

4. 调查全班同学在家做家务活的现状. 注意明确你的调查内容和目的，用适当的图表表示你的调查结果，并说明你获得数据信息的方式.

② 普查和抽样调查

在上一节中，我们曾对全班同学的节水意识进行了调查，像这种为某一特定目的而对所有考察对象进行的全面调查叫做普查．其中，所要考察对象的全体称为总体，而组成总体的每一个考察对象称为个体．

例如，为了准确了解全国人口状况，我国每10年进行一次全国人口普查．当考察我国人口年龄构成时，总体就是具有中华人民共和国国籍并在中华人民共和国境内常住的人口的年龄，个体就是符合这一条件的每一个公民的年龄．

 想一想

你能用普查的方式了解下面的信息吗？你准备如何调查？与同伴进行交流．
（1）全国中学生的节水意识；
（2）中央电视台春节联欢晚会的收视率；
（3）一批电视机的寿命．

普查可以直接获得总体的情况，但有时总体中个体数目较多，普查的工作量较大；有时受客观条件的限制，无法对所有个体进行普查；有时调查具有破坏性，不允许普查．这时，人们往往从总体中抽取部分个体进行调查，这种调查称为抽样调查，其中从总体抽取的一部分个体叫做总体的一个样本．

例如，上一节中小明调查了40人的节水意识，就属于抽样调查．我国每5年进行一次全国1%人口的抽样调查，其中被抽取的1%人口就是全国人口的一个样本．

议一议

为了了解你所在地区老年人的健康状况，你准备怎样收集数据？
下面分别是小明、小颖、小亮三个小组的调查结果：

 我们小组在公园里调查了100名老年人，他们一年中生病的次数如图6—5所示．

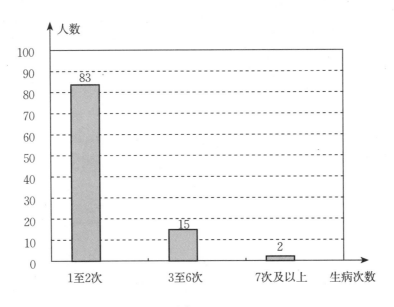

图 6-5

我们小组在医院调查了 100 名老年病人，他们一年中生病的次数如图 6-6 所示.

我们小组调查了 10 名老年邻居，他们一年中生病的次数如下表所示.

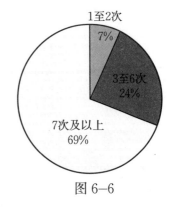

图 6-6

生病的次数	人数
1 至 2 次	4
3 至 6 次	5
7 次及以上	1

（1）你同意他们的做法吗？说说你的理由.

（2）为了了解该地区老年人的健康状况，你认为应当怎样收集数据？与同伴进行交流.

（3）小华利用派出所的户籍网随机调查●了该地区 10% 的老年人，发现他们一年平均生病 3 次左右. 你认为他的调查方式如何？

● 随机调查，就是按机会均等的原则进行调查，即总体中每个个体被选中的可能性都相等.

想一想

抽样调查有什么特点？抽样时应注意什么？

　　抽样调查只考察总体的一部分个体，因此它的优点是调查范围小，节省时间、人力、物力和财力，但其调查结果往往不如普查得到的结果准确．为了获得较为准确的调查结果，抽样时要注意样本的代表性和广泛性．

随堂练习

1. 要调查下面的问题，你觉得用什么调查方式比较合理？

　（1）调查某种灯泡的使用寿命；

　（2）调查你们学校七年级学生的体重；

　（3）调查你们班学生早餐是否有喝牛奶的习惯．

2. 为了了解你们学校的学生是否吃早饭，下列这些抽取样本的方式是否合适？

　（1）早上 7：00 至 7：30 在校门口随机选择 50 名同学进行调查；

　（2）选择全校每个班级中学号是 5 和 15 的同学进行调查；

　（3）选择七（1）班全体学生进行调查．

读一读

大样本一定能保证调查结论准确吗

　　1936 年美国总统选举期间，《文学文摘》杂志向 1 000 万选民寄去了调查问卷，这些选民的名单是从电话簿、俱乐部名册以及杂志的订户中挑选的．结果在寄出的 1 000 万份调查问卷中，约有 240 万选民寄回了调查表．根据这部分选民的回答，《文学文摘》预测共和党的兰登将当选．选举当天的结果却完全出乎他们的意料，选民中只有 38% 投了共和党的票，而民主党的罗斯福以多数票当选．《文学文摘》采用了 1 000 万的巨大样本，为何会预测失败呢？

　　原来 20 世纪 30 年代是美国经济衰退的时期，那时能够安装电话、加入上流社会俱乐部或能订阅杂志的美国人，大部分支持共和党．也就是说《文学文摘》选择的样本虽然巨大却存在偏差，样本不具有广泛性和代表性．

　　《文学文摘》的事例表明,抽样调查时既要关注样本的大小,又要关注样本的代表性.那是不是在样本具有代表性的情况下,样本越大越好呢?一般来说,在样本具有代表性的情况下,样本增大,所得结果误差会减小.但是当样本大到一定程度之后,再增加样本,精确度的增加却是微小的,同时巨大的样本不仅耗资太大,也不便于管理.因此在进行抽样调查时,关键在于精心设计抽样方案,选择有代表性的样本,这样,只用较少的经费,就可能作出接近真实情况的预测.

习题6.2

知识技能

1. 为了完成下列任务,你认为采用什么调查方式更合适?

　(1)了解你们班同学周末时间是如何安排的;

　(2)了解一批圆珠笔芯的使用寿命;

　(3)了解我国八年级学生的视力情况.

2. 电视台需要在本市调查某节目的收视率,每个看电视的人都要被问到吗?对一所中学学生的调查结果能否作为该节目的收视率?你认为对不同地区、不同年龄、不同文化背景的人进行的调查结果会一样吗?

数学理解

3. 王叔叔准备买一台彩电,他从报纸上得知上季度甲型号的彩电销售量比乙型号彩电销售量略高.于是他决定买甲型号彩电.可是,到了商店以后,他观察了 20 min,发现有 3 人买了乙型号彩电,只有 1 人买了甲型号的彩电.他想一定是报纸弄错了,于是也买了乙型号彩电.你认为一定是报纸弄错了吗?

4. 统计资料表明,大多数汽车发生交通事故时其速度为中等,极少的事故发生于车速大于 150 km/h 的情况.因此,小华认为高速行驶比较安全.你认为小华的结论正确吗?为什么?

问题解决

5. 在正式出版物中,你认为"的"和"了"哪个汉字使用得多?请你设计一个调查方案.

6. 我国自古就流传着"百家姓",现在哪个姓氏的人比较多呢?

（1）在全班进行调查,找出你们班最常见的三个姓氏,它们是什么?

（2）调查全校同学的姓氏情况,你打算怎样调查? 写出你们学校最常见的三个姓氏.

（3）通过查资料的方式,看看全国最常见的三个姓氏是什么,这个结果和你调查的全班姓氏情况、全校姓氏情况一致吗?

小强是校学生会体育部部长，他想了解现在同学们更喜欢什么球类运动，以便学生会组织受同学们欢迎的比赛．于是他设计了调查问卷，在全校每个班随机选取了 10 名同学进行调查，调查结果如下：

调查问卷
你最喜欢的球类运动是（ ）.（单选）
A. 篮球　　　B. 足球　　　C. 排球　　　D. 乒乓球
E. 羽毛球　　　F. 其他

最喜欢的球类运动	篮球	足球	排球	乒乓球	羽毛球	其他
人数	69	63	27	96	36	9

（1）如果你是小强，你会组织什么比赛？你是怎样判断的？

（2）喜欢篮球运动的人数占调查总人数的百分比是多少？喜欢足球运动的人数占调查总人数的百分比是多少？排球、乒乓球、羽毛球、其他球类运动的百分比呢？上述所有百分比之和是多少？

（3）你能尝试用扇形统计图表示上述结果吗？

在扇形统计图中，每部分占总体的百分比等于该部分所对应的扇形圆心角的度数与 360° 的比．

根据上述小强的调查数据，可以按如下方法绘制扇形统计图．
（1）计算各选项人数占调查总人数的百分比，并填在下表中：

	篮球	足球	排球	乒乓球	羽毛球	其他
百分比						

（2）计算各个扇形的圆心角度数：圆心角度数 ＝ 360°×该项所占的百分比.

	篮球	足球	排球	乒乓球	羽毛球	其他
对应的圆心角度数						

（3）在圆中画出各个扇形，并标上百分比.

扇形统计图，可以直观地反映各部分在总体中所占的比例.

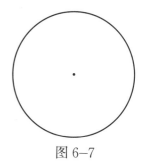

图 6-7

 做一做

观察图 6-8，回答下列问题：

（1）如果用整个圆表示总体，那么哪个扇形表示总体的 25%？

（2）如果用整个圆表示你们班的人数，那么扇形 B 大约代表多少人？

（3）如果用整个圆表示 9 公顷稻田，那么扇形 C 代表多少公顷稻田？

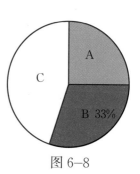

图 6-8

 议一议

图 6-9 是甲、乙两家庭全年支出费用的扇形统计图. 根据统计图，小刚认为就全年食品支出费用来说，乙家庭比甲家庭多，你同意他的看法吗？为什么？

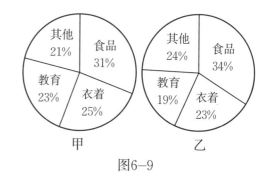

图6-9

 想一想

小亮对全班 40 名学生进行了"你对哪些课程非常感兴趣"的调查，获得如下数据：语文 20 人，数学 25 人，英语 18 人，物理 10 人，计算机 34 人，其他 12 人. 他想用扇形统计图表示这些数据，却发现 6 项的百分比之和大于 1，为什么会这样呢？

随堂练习

根据下表制作扇形统计图，表示各大洋面积占四大洋总面积的百分比.

四大洋的面积统计表

海洋名	面积/万km²
太平洋	17 967.9
大西洋	9 165.5
印度洋	7 617.4
北冰洋	1 475.0

（1）借助计算器，计算各大洋面积占四大洋总面积的百分比（结果精确到1%）；

（2）借助计算器，计算各大洋面积对应的扇形圆心角的度数（结果精确到1°）；

（3）画出扇形统计图.

习题6.3

 知识技能

1. 小颖一天的时间安排统计图如图所示.

（1）根据图中的数据制作扇形统计图，表示小颖一天的时间安排；

（2）比较两幅统计图的不同；

（3）制作扇形统计图表示你一天的作息情况.

时间/h

（第1题）

数学理解

※**2.** 某班男女生人数比例如图（1）所示，如果用图（2）的正方形表示该班全体人数，你能在图（2）中直观地表示该班男女生人数的比例关系吗？

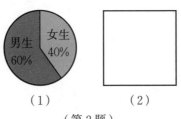

（1）　　　　（2）

（第2题）

问题解决

3. 第 41 届世界博览会于 2010 年 5 月 1 日至 2010 年 10 月 31 日在上海举办,其中 7 月 31 日(截至 18:00),经后滩、上南路、长清路、高科西路入园游客人数如图所示(数据来源:www.expo.cn):

("△"表示和 2010 年 7 月 30 日(截至 18:00)相比入园人数增加的百分比)

(1)2010 年 7 月 31 日(截至 18:00),以上 4 个入口共有多少游客入园?

(2)2010 年 7 月 30 日(截至 18:00),后滩入口约有多少游客入园?(结果精确到 0.1 万)

(3)假设游客在园区内的餐饮消费为人均 40 元,请你设法估计:园区内一个月(以 30 天计)的餐饮营业额大约是多少?

(4)从图中你还能获得哪些信息?

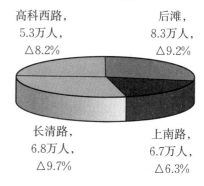

2010年7月31日(截至 18:00)各入口入园情况

高科西路,5.3万人,△8.2%

后滩,8.3万人,△9.2%

长清路,6.8万人,△9.7%

上南路,6.7万人,△6.3%

(第3题)

下表是某校七(2)班的同学入学信息表:

学号	性别	身高/cm	入学成绩			学号	性别	身高/cm	入学成绩		
			语文	数学	英语				语文	数学	英语
1	女	167	81	88	优	16	女	162	83	85	优
2	男	162	78	85	良	17	女	157	86	80	优
3	女	165	86	90	优	18	女	160	92	93	优
4	男	160	81	99	中	19	男	164	83	89	优
5	女	165	94	86	优	20	女	161	75	77	良
6	女	167	83	75	良	21	男	162	86	97	优
7	女	165	88	94	优	22	男	164	91	91	优
8	男	166	79	98	优	23	女	163	87	82	优
9	女	159	72	65	中	24	男	154	82	88	优
10	男	169	86	97	优	25	男	172	68	70	中
11	男	168	91	96	优	26	男	153	88	95	优
12	男	158	80	93	良	27	男	156	80	87	优
13	男	160	85	89	优	28	男	163	82	81	优
14	女	159	90	84	优	29	男	164	78	75	良
15	女	162	91	89	优	30	女	161	89	87	优

（1）你能用恰当的统计图表表示这个班同学入学时的英语成绩吗？从你的图表中能看出大部分同学处于哪个等级吗？成绩的整体分布情况怎样？

（2）你能用恰当的统计图表表示这个班同学入学时的语文成绩吗？从你的图表中能看出大部分同学处于哪个分数段吗？成绩的整体分布情况怎样？

对于（1），小明采用了表格的形式，小颖采用了条形统计图的形式：

英语成绩	优	良	中
人数（频数）❶	22	5	3

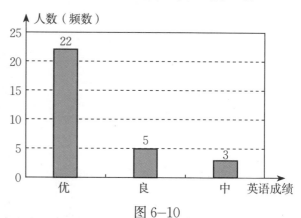

图 6-10

对于（2），小明还想采用表格和统计图的方法，结果他觉得很复杂．

语文成绩/分	68	72	75	78	79	80	81	82	83
人数（频数）	1	1	1	2	1	2	2	2	3
语文成绩/分	85	86	87	88	89	90	91	92	94
人数（频数）	1	4	1	2	1	1	3	1	1

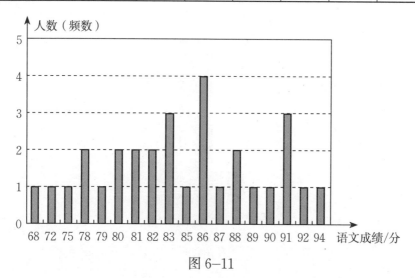

图 6-11

---

❶ 这里的"人数"表示优、良、中出现的频繁程度，因此也称为频数（absolute frequency）．

这时他借鉴英语成绩的表示，将语文成绩按 10 分的距离分段，统计每个分数段的学生数：

语文成绩/分	60~70 ❶	70~80	80~90	90~100
人数（频数）	1	5	18	6

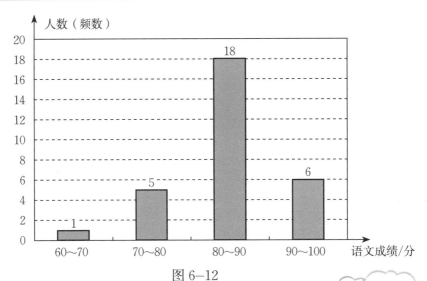

图 6—12

你能明白小明的做法吗?

我们把图 6—12 的横轴略作调整，得到图 6—13.

像这样的统计图称为频数直方图.

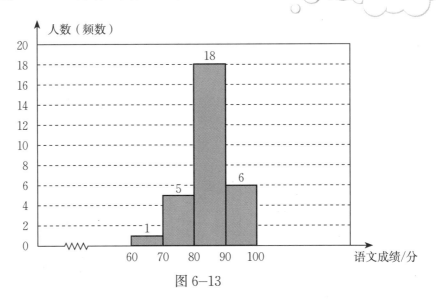

图 6—13

---

❶ 这里的60~70表示大于等于60同时小于70. 本章类似的记号均表示这一含义.

　　频数直方图是一种特殊的条形统计图，它将统计对象的数据进行了分组，画在横轴上，纵轴表示各组数据的频数.

　　如果样本中数据较多，数据的差距也比较大时，频数直方图能更清晰、更直观地反映数据的整体状况.

✏️ 做一做

　　请将上面表格中的数学成绩按 10 分的距离分段，用频数直方图表示.

随堂练习

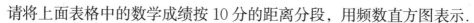

　　请将上面表格中的身高数据按 3 cm 分段，用频数直方图表示.

习题 6.4

▽ **知识技能**

1. 某地区随机抽调一部分市民进行了一次法律知识测试，测试成绩（得分取整数）进行整理后分成五组，并绘制成频数直方图（如图）.

　　（1）这次活动共抽取了多少人测试？

　　（2）测试成绩的整体分布情况怎样？

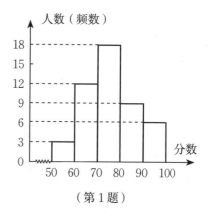

（第 1 题）

2. 某同学调查了小区内 50 户人家当年 10 月份的家庭用水量，结果（单位：m^3）如下：

家庭用水量	4.0~5.5	5.5~7.0	7.0~8.5	8.5~10.0	10.0~11.5	11.5~13.0	13.0~14.5	14.5~16.0
家庭数/户	9	12	11	8	5	1	2	2

　　请你根据上述信息，绘制相应的频数直方图.

问题解决

3. (1) 设法收集你所在地区连续 30 天的空气污染指数;

(2) 空气质量等级划分如下:

空气污染指数	空气质量级别	空气质量状况
0到50	I	优
51到100	II	良
101到150	III₁	轻微污染
151到200	III₂	轻度污染
201到250	IV₁	中度污染
251到300	IV₂	中度重污染
大于300	V	重污染

根据上述划分,请将你收集到的数据制作成频数直方图.

当遇到大量的数据或数据连续取值时,我们通常先将数据适当分组,然后可以制作频数直方图直观地反映整体的分布状况.

例 为了了解某地区新生儿体重状况,某医院随机调取了该地区 60 名新生儿的出生体重,结果(单位:g)如下:

3 850	3 900	3 300	3 500	3 315	3 800	2 550	3 800	4 150
2 500	2 700	2 850	3 800	3 500	2 900	2 850	3 300	3 650
4 000	3 300	2 800	2 150	3 700	3 465	3 680	2 900	3 050
3 850	3 610	3 800	3 280	3 100	3 000	2 800	3 500	4 050
3 300	3 450	3 100	3 400	4 160	3 300	2 750	3 250	2 350
3 520	3 850	2 850	3 450	3 800	3 500	3 100	1 900	3 200
3 400	3 400	3 400	3 120	3 600	2 900			

将数据适当分组,并绘制相应的频数直方图,图中反映出该地区新生儿体重状况怎样?

解:(1)确定所给数据的最大值和最小值:上述数据中最小值是 1 900,

最大值是 4 160；

（2）将数据适当分组：最大值和最小值相差 4 160 − 1 900 = 2 260，考虑以 250 为组距（每组两个端点之间的距离叫组距），2 260 ÷ 250 = 9.04，可以考虑分成 10 组；

（3）统计每组中数据出现的次数

分组	人数（频数）	分组	人数（频数）
1 750~2 000	1	3 000~3 250	7
2 000~2 250	1	3 250~3 500	15
2 250~2 500	1	3 500~3 750	10
2 500~2 750	3	3 750~4 000	9
2 750~3 000	9	4 000~4 250	4

（4）绘制频数直方图：

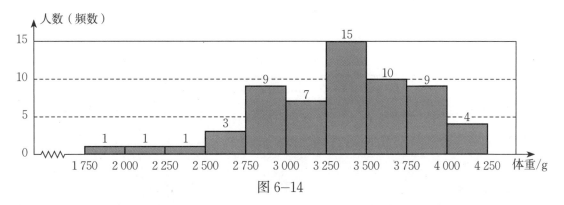

图 6−14

从图中可以看出该地区新生儿体重在 3 250~3 500 g 的人数最多.

> 你的分组方式要能反映新生儿出生体重的整体情况哟！

你还有其他的分组方式吗？

 议一议

制作频数直方图的大致步骤是什么？

173

做一做

（1）测量一下你 1 min 脉搏跳动的次数.

（2）汇总全班同学的数据，制作频数直方图，看看大多数同学 1 min 脉搏跳动的次数处于哪个范围.

 习题 6.5

 知识技能

1. 银行在某储蓄所抽样调查了 50 名顾客，他们的等待时间（进入银行到接受受理的时间间隔，单位：min）如下：

15	20	18	3	25	34	6	0	17	24
23	30	35	42	37	24	21	1	14	12
34	22	13	34	8	22	31	24	17	33
4	14	23	32	33	28	42	25	14	22
31	42	34	26	14	25	40	14	24	11

将数据适当分组，并绘制相应的频数直方图.

 问题解决

2. 调查你们班同学出生时的体重（或身高），然后将数据适当分组，并绘制相应的频数直方图，看看你们班大多数同学出生时的体重（或身高）处于哪个范围.

统计图的选择

右面是某年某家报纸公布的反映人口情况的数据. 小亮根据图上的数据制成了下面的统计图：

2050年世界人口分布预测图

世界人口变化情况统计图

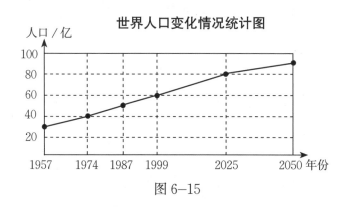

图 6—15

2050年世界人口分布预测图

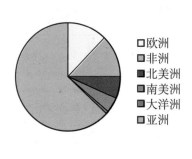

图 6—16

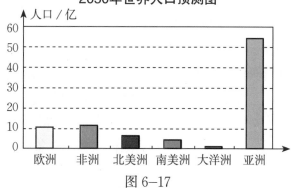

图 6—17

根据小亮制作的统计图，回答下列问题：

（1）三幅统计图分别表示了什么内容？

（2）从哪幅统计图中你能看出世界人口的变化情况？

（3）2050年非洲人口大约将达到多少亿？你是从哪幅统计图中得到这个数据的？

（4）2050年亚洲人口比其他各洲的人口总和还要多，你从哪幅统计图中可以明显地得到这个结论？

（5）比较三种统计图的特点，并与同伴进行交流.

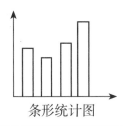
条形统计图

折线统计图

扇形统计图

条形统计图能清楚地表示出每个项目的具体数目.

折线统计图能清楚地反映事物的变化情况.

扇形统计图能清楚地表示出各部分在总体中所占的百分比.

做一做

1. 某一家电卖场对其销售的空调情况进行了调查，得到下面的信息：

2008 年至 2010 年各种品牌空调的销售量（单位：万台）

年份	A	B	C	其他品牌	总量
2008	1.7	1	0.8	4.5	8
2009	1.6	1.2	1.2	5	9
2010	1.55	1.45	2	5	10

请你制作适当的统计图，反映下列信息：

（1）2008 年至 2010 年，C 品牌空调在该卖场销售量的变化情况；

（2）2010 年，A，B，C 及其他品牌的空调在该卖场的市场占有率情况.

2. 小彬随机调查了他们学校 50 名同学这个月家庭用水量，数据（单位：m^3）如下：

8	5.5	5	6.4	10	12.5	7.8	5	6.5	9
5	9.5	7.5	10.2	8.3	9.4	6.5	11	13.5	14
14.5	15	5.4	6.5	8.5	10.5	5	6.5	7.5	8.5
6	4.5	5	8.4	7.2	7	6.2	8	10	9
5.5	7.5	8	5.5	6.5	6	8.6	5	9.5	4.5

请你制作适当的统计图，反映这 50 名同学这个月家庭用水量的大致分布情况.

随堂练习

2008 年 5 月 12 日，我国四川汶川发生了里氏 8.0 级的地震，全国各地纷纷捐款捐物支援灾区．从四川省人民政府每天下午 5 点举行的新闻发布会上，得到如下信息：

	四川省财政收到的抗震救灾专项资金/亿元			四川省财政共向灾区调拨救灾应急资金/亿元
	中央财政下达救灾专项资金	各类捐款	合计	
截至 5 月 18 日	17.73	9.13	26.86	23.97
截至 5 月 22 日	35.83	10.99	46.82	56.02
截至 5 月 26 日	41.83	17.08	58.91	57.5

请你制作适当的统计图，反映下列信息：

（1）截至 5 月 18 日、5 月 22 日、5 月 26 日，四川省财政收到的抗震救灾专项资金的总数情况；

（2）截至 5 月 18 日、5 月 22 日、5 月 26 日，四川省财政共向灾区调拨救灾应急资金的变化情况；

（3）截至 5 月 22 日，中央财政下达救灾专项资金和各类捐款在四川省财政收到的专项资金中的比例情况．

习题 6.6

知识技能

1. 制作适当的统计图表示下面的信息．

（1）某奥运商品特许专卖店盘点了近两周的福娃销售情况，信息如下：

该店近两周福娃的销售量（单位：个）

品种	贝贝	晶晶	欢欢	迎迎	妮妮
销售量	84	68	104	64	80

（2）这个店近两周的奥运商品销售信息为：奥运纪念章的销售额占总销售额的 17%，奥运玩具的销售额占总销售额的 30%，奥运休闲服饰的销售额占总销售额的 28%，其他奥运商品的销售额占总销售额的 25%.

（3）根据上述信息，为销售部提供合理建议．

2. 某公司 2009 年至 2010 年的支出情况如下：

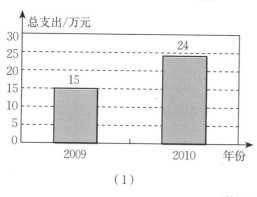

（1）

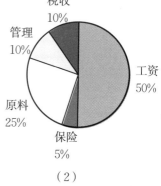

（2）

（第2题）

（1）2010 年原料的支出金额是多少？工资的支出金额是多少？

（2）2009 年该公司的工资支出占总支出的 60%，2010 年与 2009 年相比，该公司在工资方面的金额支出是变多了还是变少了？

问题解决

3. 为了提高长跑成绩，小彬坚持锻炼并于每周日记录下 1 500 m 的成绩：

小彬 1 500 m 成绩变化统计表

锻炼的星期数	1	2	3	4	5	6
小彬的成绩	7 min 42 s	7 min	6 min 30 s	6 min 18 s	6 min 12 s	6 min 12 s

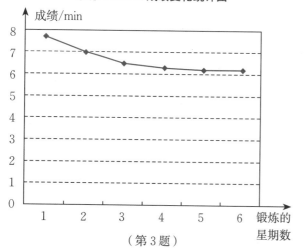

（第3题）

如果要更清楚地看出小彬成绩的变化情况，你选择统计图还是统计表？如果要方便、准确地获得他锻炼 5 星期后的长跑成绩，你会如何选择？

甲、乙两种酒近几年的销售量和价格如下：

甲品牌酒的销售量和价格

	2002年	2006年	2010年
年度销售量/万瓶	150	180	210
该年度的单价/元	40	50	60

乙品牌酒的销售量和价格

	2006年	2008年	2010年
年度销售量/万瓶	160	180	200
该年度的单价/元	40	50	60

有人根据上面的统计表，制作出甲、乙两种酒的价格变化的折线统计图：

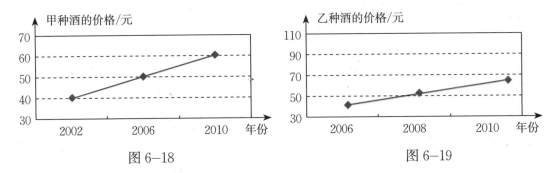

图 6-18　　　　　　　　　　　图 6-19

（1）你认为哪一种酒的价格增长较快？为什么？这与上面折线统计图给你的感觉一致吗？为什么图象会给人这样的感觉？

（2）甲种酒的销售人员将甲种酒的销售信息制作成如图 6-20 所示的条形统计图．请你在图 6-21 中画出甲种酒的年度销售量的条形统计图．

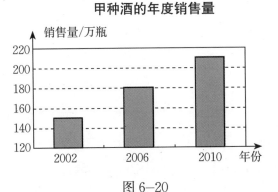

图 6-20　　　　　　　　　　　图 6-21

（3）图 6-20 与图 6-21 给你的感觉一样吗？在甲种酒销售人员画出的条形统计图中，2010 年甲种酒的年度销售量看上去是 2002 年的多少倍？实际上呢？

议一议

（1）为了较直观地比较某两个统计量的变化速度，绘制折线统计图时应注意什么？

（2）为了较直观地反映几个统计量之间的比例关系，绘制条形统计图时，应注意什么？

随堂练习

1. 右图反映了我国 2009 年对三个地区的货物出口额情况（数据来源：www.stats.gov.cn）.

   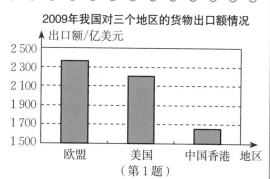

   2009年我国对三个地区的货物出口额情况

   （第1题）

   （1）根据这个条形统计图，2009 年我国对哪个地区货物出口额最大？对哪个地区货物出口额最小？

   （2）最多的大约是最小的几倍？图中所表现出的直观情况与此相符吗？为什么？

   （3）为了更为直观、清楚地反映我国对三个地区货物出口额之间的比例关系，应做怎样的改动？

2. 甲、乙两公司近年的销售收入情况如图所示.

甲公司近年的销售收入情况

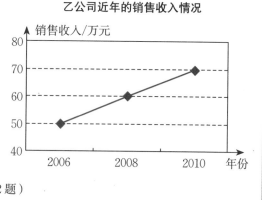

乙公司近年的销售收入情况

（第2题）

哪家公司近年的销售收入的增长速度较快？图中所表现出来的直观情况与此相符吗？

读一读

正确认识统计图表

统计图表直观、形象，便于我们从中得到信息，但有时如果不细心分析，它也会使人们产生"错觉".

例如，某市市场上有两种品牌的牛奶，2010 年的市场调查表明：甲品牌牛奶的销售量为 8 000 吨，乙品牌牛奶的销售量为 4 000 吨. 甲公司在其销售广告上印刷了右面的统计图，这个统计图给你的直观感觉如何？实际情况是这样吗？

又如，下表是一个减肥产品的生产厂家在其减肥计划中用来宣传的数据. 它显示了厂方的 8 名顾客减少的体重数.

顾客	A	B	C	D	E	F	G	H
减少的体重/kg	12.5	17	14.5	10	17.5	14	16	12

当你阅读这一表格中的数据时，你觉得这种减肥产品有效吗？是否还有些问题需要思考？例如，这一厂家是否只给出了体重减轻最多的 8 名顾客所减少的体重？他们是用多少时间来减掉这些体重的？他们开始执行计划时的体重是多少？……

有些时候，出于某些个人利益或商业利益或其他原因，呈现给大众的数据和图形很可能使人们产生"错觉". 我们可要好好读一读、想一想图表中的信息，分析数据，不要被所看到的表面现象所迷惑.

1. 某音像制品店某一天的销售情况如图所示：

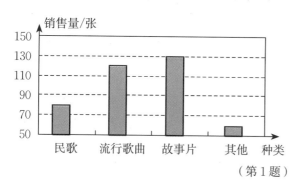

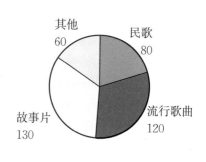

（第1题）

（1）从条形统计图直观地看，民歌类唱片与流行歌曲唱片销售量之比大约是多少？从扇形统计图看呢？

（2）要使读者清楚地看出各类音像制品的销售量之比，条形统计图应做怎样的改动？

问题解决

2. 某公司2006年至2010年的利润情况如下表：

年份	2006	2007	2008	2009	2010
利润/万元	100	108	110	115	120

小明、小亮和小颖根据上述数据分别绘制了折线统计图．

某公司2006年至2010年利润情况统计图

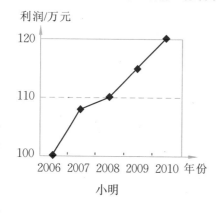

小明

某公司2006年至2010年利润情况统计图

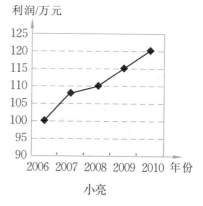

小亮

某公司 2006 年至 2010 年利润情况统计图

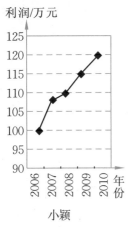

小颖

（1）在这三幅图中，哪个更令人觉得该公司的效益蒸蒸日上？

（2）这三幅图，它们所表示的数据相同，但为什么给人不同的感觉？

3. 某地近几年来自来水的价格如下：

年份	2004	2006	2008
水价/（元/吨）	1.46	1.92	2.53

如今该地自来水公司决定向物价部门申请涨价，企业根据上述信息制作了统计图，你觉得下面两幅图，哪幅是自来水公司制作的？

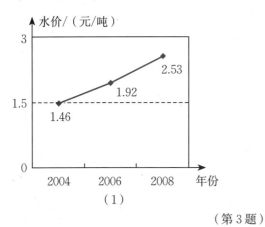

（1）

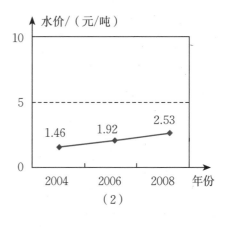

（2）

（第3题）

数学理解

4. 小红买某种冷饮，发现今年的单价是 0.8 元，而去年的单价是 0.5 元．老板说："这个冷饮仅涨了 0.3 元，涨得不多．有的冷饮从 3 元涨到了 4 元，涨了 1 元呢！"听了老板的说法，你有什么想法？

回顾与思考

1. 说一说可以运用哪些方法获得数据.

2. 抽样调查时，如何保证样本的代表性？举例说明.

3. 说一说怎样制作扇形统计图和频数直方图.

4. 条形统计图、折线统计图、扇形统计图、频数直方图各有什么特点？举例说明.

5. 统计图有时可能会使人产生"错觉"，请举例说明. 为了直观地反映数据信息，制作有关统计图时应注意些什么？

6. 梳理本章内容，用适当的方式呈现全章知识结构，并与同伴进行交流.

知识技能

1. 为了完成下列任务，你认为采用什么调查方式更合适？

（1）了解一沓钞票中有没有假钞；

（2）了解一批西瓜是否甜；

（3）了解你们班同学是否喜欢科普类书籍.

2. 学校需要了解有多少学生已经患上近视，下面哪些抽样方式是合适的？说明你的理由.

（1）在学校门口通过观察统计有多少学生佩戴眼镜；

（2）在低年级学生中随机抽取一个班进行调查；

（3）从每个年级的每个班级都随机抽取几个学生进行调查.

3. 某部门统计了某地 1 000 名 18 周岁以上的成年男子的身高，得到如下数据：

身高/cm	频数	身高/cm	频数
145~150	6	175~180	180
150~155	23	180~185	110
155~160	65	185~190	47
160~165	130	190~195	15
165~170	203	195~200	3
170~175	218		

根据上述数据，绘制频数直方图.

4. A，B 两种商品在一段时间内的销售总量如图所示.

 （1）A，B 两种商品的销售总量各是多少？相差多少？

 （2）统计图所表现出来的直观情况与上述结果一样吗？如果不一样，你知道其中的原因吗？

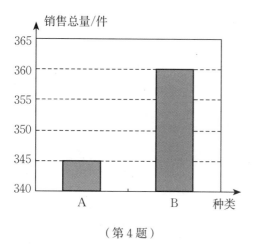

（第4题）

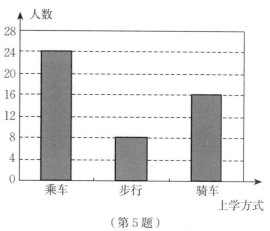

（第5题）

5. 某班同学上学方式的条形统计图如图所示.

 （1）这个班共有多少名学生？

 （2）根据条形统计图，制作相应的扇形统计图；

 （3）从两个统计图中，分别可以获得哪些信息？

6. 下面是甲、乙两城市月降水量统计表（单位：mm）：

月份	1	2	3	4	5	6	7	8	9	10	11	12
甲市	5	15	20	20	60	140	185	200	60	35	15	10
乙市	25	40	55	140	300	430	310	410	320	120	35	25

（1）根据上面的统计表，制作一幅适当的统计图表示两个城市降水量的变化.

（2）根据制作的统计图回答下列问题：

 ① 哪个城市一年降水量的变化幅度大？

 ② 从总体上看，两个城市的月降水量之间最明显的差别是什么？

 ③ 甲、乙两市在哪个月份的降水量相差最大？相差多少？

🌟 数学理解

7. 电视台调查某一节目的收视率，找了一些该节目的热心观众作为调查的对象，用这样的方式得到的收视率准确吗？与实际收视率相比结果会怎样？

8. 小华在A班随机询问了 30 名同学，其中有 10 人患有近视；他又在同年级的 B 班询问了 2 名同学，发现其中有 1 人患有近视. 于是他认为 B 班的近视率比 A 班高，你同意他的观点吗？

问题解决

9. 某市对老城进行改造，根据 2008 年至 2010 年的发展情况，制作了下列两个统计图，根据统计图回答下列问题：

（1）2008 年各个房地产公司建筑房屋的平均面积是多少？2009 年呢？2010 年呢？

（2）根据统计图中的数据，你还能得到什么信息？

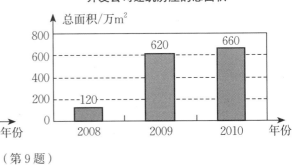

（第9题）

10. 小刚家 2009 年和 2010 年的家庭支出如下：

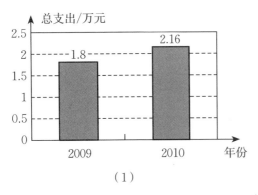

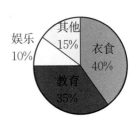

（1）　　　　　　　　　　（2）　　　　　　　　　　（3）

（第10题）

（1）2010 年总支出比 2009 年增加多少万元？增加的百分比是多少？

（2）2009 年衣食方面支出的金额是多少？教育方面支出的金额是多少？

（3）2010 年娱乐方面支出的金额比 2009 年增加了还是减少了？变化了多少？

※**11.** 下面是 A，B 两球从不同高度自由下落到地面后反弹高度的统计图.

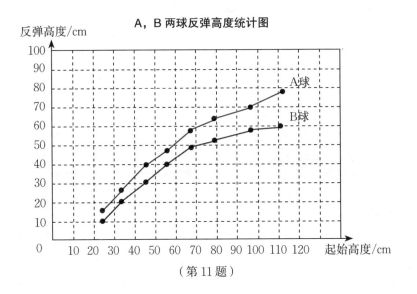

（第 11 题）

（1）比较两个球反弹高度的变化情况，哪个球的弹性大？

（2）如果两个球下落的起始高度继续增加，那么你认为 A 球的反弹高度会继续增加吗？B 球呢？

（3）分别比较 A 球、B 球的反弹高度和起始高度，你认为反弹高度会超过起始高度吗？

※**12.** 如果你们学校需要建造新的自行车停车棚，至少需要多大面积？解决这个问题你需要哪些数据？你准备如何收集这些数据？

13. 某校庆祝百年校庆，计划制作橙色、红色、蓝色、白色、黄色五种颜色的文化衫分发给学生. 为此，调查了该校部分学生，以决定制作各种颜色文化衫的数量. 如果你们学校搞活动也准备分发文化衫，你能开展调查，以帮助学校决定各种颜色文化衫的制作数量吗？

14. 你喜欢气球吗？你喜欢什么颜色的气球？你能进行一次调查，以帮助气球生产厂家确定各种颜色气球的生产比例吗？几人组成一个调查小组.

（1）讨论下面几个问题：调查的目的、问题、对象是什么？选择怎样的调查方式？样本如何选取？调查所得数据如何处理？

（2）制订一个调查方案，展开调查.

（3）将各组的调查方案和调查结果在全班交流，讨论调查的一般步骤和抽样调查中的注意事项，并撰写一份调查报告，给有关厂家提供适当的信息.

15. 你能读懂这些统计图吗？这些统计图和我们学过的统计图相比有什么特点？

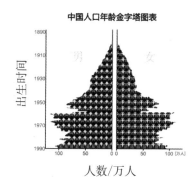

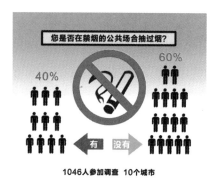

（第15题）

有关部门曾经对"您是否想成为奥运会志愿者"做了一个网上调查，结果显示：
① 想 97%，② 不想 3%. 你能将这一调查结果用比较形象的统计图表示出来吗？

综合与实践

探寻神奇的幻方

幻方的历史很悠久，传说最早出现在夏禹时代的"洛书"．把洛书用今天的数学符号翻译出来，就是一个三阶幻方．

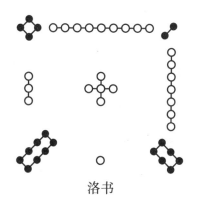

4	9	2
3	5	7
8	1	6

洛书　　　　　　　　三阶幻方

图 1

议一议

在图 1 的三阶幻方中，

（1）你能发现哪些相等的关系？每行、每列、每条对角线上的三个数之和分别是多少？

（2）如果把和相等的每一组数分别连线，这些连线段会构成一个怎样的图形？描述你得到的图形有什么特点．

（3）你能否改变上述幻方中数字的位置，使它们仍然满足你发现的那些相等关系？

（4）在你构造的幻方中，最核心位置是什么？有没有"成对"的数？

（5）你还有什么新的发现？

做一做

请再列举出 9 个数，将它们填入到 3×3 的方格中，使得每行、每列、每条对角线上的三个数之和相等.

想一想

（1）你是怎样解决上述问题的？

（2）你认为怎样的九个数可以满足三阶幻方的要求？应怎样把这九个数填入三阶幻方？说说你的道理.

（3）你还有什么新的猜想？

习题

1. 自行选取一组数构造一个三阶幻方，使得每行、每列、每条对角线上的三个数之和都等于 60.

※**2.** 用 25 个数构造一个五阶幻方.

综合与实践

关注人口老龄化

你知道人口老龄化吗？按照国际通行的标准，当一个国家或地区 60 岁以上老年人口占人口总数的 10%，或 65 岁以上老年人口占人口总数的 7%，即意味着这个国家或地区进入老龄化社会. 目前，全世界 60 岁以上老年人口总数已达 6 亿，有 60 多个国家的老年人口达到或超过人口总数的 10%，进入了人口老龄化社会行列. 我国有许多城市已进入老龄化社会.

议一议

（1）你了解自己所在的社区老年人所占的比例吗?

（2）你想关注老年人生活中的哪些问题呢?

（3）你想通过什么方式获得相关信息?

做一做

以小组为单位完成下列活动：

（1）确定调查主题，讨论需要收集的数据和信息.

（2）制订调查方案，参与全班交流.

（3）完善调查方案，拟定报告框架，明确组员分工.

（4）以小组为单位，到社区做一些公益活动，结合你的主题展开调查，收集相关数据.

（5）对调查数据进行处理和分析，形成调查报告.

小组分别汇报各自的调查主题、收集数据的主要过程和相关结论.

议一议

根据所得到的数据，你还能够提出什么问题？在数据收集和处理过程中，你有哪些收获和体会？关于人口老龄化你还想知道哪些问题？

以小组为单位，选择适当的主题展开调查，并对调查数据进行处理与分析，撰写一份调查报告.

附：关于"人口老龄化"的调查报告

问卷编号 _____ _____ 年 ____ 月 ____ 日

调查主题	
调查对象	
调查时间	调查地点
人员分工	
调查内容	
调查结论	

制作一个尽可能大的无盖长方体形盒子

用一张正方形的纸怎样才能制成一个无盖的长方体形盒子？
怎样才能使制成的无盖长方体形盒子的容积尽可能大？

 议一议

（1）你觉得应当怎样剪？怎样折？与同伴进行交流．

（2）剪去的小正方形的边长与折成的无盖长方体形盒子的高有什么关系？

（3）如果设这张正方形纸的边长为 a cm，所折无盖长方体形盒子的高为 h cm，你能用 a 与 h 来表示这个无盖长方体形盒子的容积吗？

想一想

随着剪去的小正方形的边长的增大，所折无盖长方体形盒子的容积如何变化？

 做一做

用边长为 20 cm 的正方形纸按以上方式制作无盖长方体形盒子．

（1）如果剪去的小正方形边长按整数值依次变化，即分别取 1 cm，2 cm，3 cm，4 cm，5 cm，6 cm，7 cm，8 cm，9 cm，10 cm 时，折成的无盖长方体形盒子的容积分别是多少？请你将计算的结果填入下表，并制作折线统计图．

剪去小正方形的边长/cm	1	2	3	4	5	6	7	8	9	10
容积/cm^3										

（2）观察统计图，当小正方形边长变化时，所得到的无盖长方体形盒子的容积是如何变化的？

（3）观察统计图，当小正方形边长取什么值时，所得到的无盖长方体形盒子的容积最大？此时，无盖长方体形盒子的容积是多少？

 议一议

改变剪去的小正方形的边长，你能制作出容积更大的无盖长方体形盒子吗？

做一做

（1）如果剪去的小正方形边长按 0.5 cm 的间隔取值，即分别取 0.5 cm，1.0 cm，1.5 cm，2.0 cm，2.5 cm，3.0 cm，3.5 cm，4.0 cm，…时，折成的无盖长方体形盒子的容积将如何变化？请在相应的统计图中表示这个变化情况.（可以使用计算器）

（2）观察这些数据的变化，你发现了什么？与同伴进行交流.

（3）从统计表中可以看出，当小正方形的边长取什么值时，所得到的无盖长方体形盒子的容积最大？此时，无盖长方体形盒子的容积是多少？

 想一想

你能按照上述方法制作出容积更大的无盖长方体形盒子吗？借助计算器验证你的猜想.

习题

1. 以小组为单位，撰写一份关于本课题的数学小论文.

※2. 用一张正方形的纸，你还有其他方法把它制成一个无盖的长方体形盒子吗？哪种方法制成的无盖长方体形盒子的容积更大？

总复习

● 整理本学期学过的知识与方法，用一张图把它们表示出来，并与同伴进行交流.

● 在自己经历过的解决问题活动中，选择一个最具有挑战性的问题，写下解决它的过程：包括遇到的困难、克服困难的方法与过程及所获得的体会，并解释选择这个问题的原因.

● 通过本学期的数学学习，你有哪些收获？有哪些需要改进的地方？

知识技能

1. 下面哪个几何体的截面形状可能是圆？

（1）圆柱； （2）圆锥； （3）棱柱.

2. 过一点画 2 条直线，如果只考虑小于 $180°$ 的角，那么可以形成多少个角？

3. 在数轴上将下列各数表示出来：

（1）$-3\frac{1}{4}$，2.5，0，$-\frac{4}{3}$； （2）（1）中数的相反数；

（3）所有绝对值小于 5 的整数.

4. 比较下列各组数的大小：

（1）-9 与 -8； （2）-0.25 与 -1； （3）$|7.6|$ 与 $|-7.6|$；

（4）0 与 $-|-7|$； （5）$-\frac{1}{2}$ 与 $-\frac{2}{5}$； （6）$|-13.5|$ 与 $|-2.7|$.

5. 计算：

（1）$1+\frac{5}{6}-\frac{19}{12}$； （2）$3\times(-9)+7\times(-9)$； （3）$(\frac{5}{4}-\frac{7}{6})\times(-\frac{8}{7})$；

（4）$(-54)\div6\div(-3)$； （5）$2\times[5+(-2)^3]$； （6）$-(\frac{2}{13}-\frac{1}{3}-\frac{1}{6})\times78$；

（7）$(-\frac{2}{3})\times\frac{27}{8}\div(\frac{3}{2})^3$；（8）$\frac{1}{30}-(-\frac{2}{3}+\frac{3}{5})\div(-2)$.

6. 化简下列各式：

（1）$3b^2-(a^2+b^2)-b^2$； （2）$x+(2x-1)-(\frac{x}{3}+3)$；

（3）$-2(ab-3a^2)+(5ab-a^2)$;　　　　（4）$2a^2-\dfrac{1}{2}(ab+a^2)-8ab$;

（5）$-(b-4)+4(-b-3)$;　　　　（6）$\dfrac{1}{2}(x^2-y)+\dfrac{1}{3}(x-y^2)+\dfrac{1}{6}(x^2+y^2)$.

7. 下列整式哪些是单项式，哪些是多项式？它们的次数分别是多少？

（1）$2x^2-4x-1$;　　　（2）$-7a^2bc$;　　　　　（3）$-\dfrac{1}{3}a^2b+\dfrac{2}{3}ab^2-\dfrac{1}{4}a^3+\dfrac{1}{4}b^3$;

（4）$-\dfrac{1}{6}xy$;　　　　（5）$-\dfrac{1}{6}x-\dfrac{1}{6}y+\dfrac{1}{3}$;　　（6）$pqr-p^2r+q^2r$.

8. 计算：

（1）$-\left(-\dfrac{1}{3}x+y\right)+\left(\dfrac{1}{6}x-y\right)$;　　　　（2）$(2s+1)-3(s^2-s+2)$;

（3）$-2\left(a^2b-\dfrac{1}{4}ab^2+\dfrac{1}{2}a^3\right)-(-2a^2b+3ab^2)$;

（4）$-\dfrac{1}{2}(5mn-2m^2+3n^2)+\left(-\dfrac{3}{2}mn+2m^2+\dfrac{n^2}{2}\right)$;

（5）$\left(a^3+\dfrac{1}{5}a^2b+3\right)-\dfrac{1}{2}(a^2b-6)$;

（6）$-3\left(\dfrac{1}{2}x^3-\dfrac{1}{3}y^3+\dfrac{1}{6}\right)+2\left(\dfrac{1}{3}x^3-\dfrac{1}{2}y^3+\dfrac{1}{4}\right)$.

9. 如图，用不同方法表示图中同一个角，并填入表格.

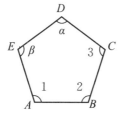

$\angle 1$		$\angle \alpha$		$\angle 3$
	$\angle ABC$			
				$\angle E$

（第9题）

10. 如图，$\angle AOB=\angle COD=90^\circ$.

　　（1）$\angle AOC$ 等于 $\angle BOD$ 吗？

　　（2）若 $\angle BOD=150^\circ$，则 $\angle BOC$ 等于多少度？

（第10题）

11. 解下列方程：

　　（1）$16x-40=9x+16$;　　　　　　（2）$4x=\dfrac{20}{3}x+16$;

　　（3）$2(3-x)=-4(x+5)$;　　　　　（4）$3(-2x-5)+2x=9$;

　　（5）$\dfrac{1}{2}(x-4)-(3x+4)=-\dfrac{15}{2}$;　　（6）$\dfrac{x-7}{4}-\dfrac{5x+8}{3}=1$.

12. 为了完成下列任务，你认为采用什么调查方式更合适？

（1）了解班级同学中哪个月份出生的人数最多；

（2）了解一批冷饮的质量是否合格；

（3）了解京剧在全校同学中的受欢迎程度；

（4）了解全国人口的平均寿命.

13. 判断下列抽样调查选取样本的方式是否合适，并说明理由.

（1）为了了解某厂家生产的零件质量，在其生产线上每隔300个零件抽取1个检查；

（2）为了了解某城市全年的降水情况，随机调查该城市某月的降水量.

14. 每天早晨你是如何醒来的？下面是一所学校400名学生早晨起床方式的统计表：

起床方式	别人叫醒	闹钟叫醒	自己醒来	其他
人数	172	88	64	76

根据上面的数据制作适当的统计图，表示用各种方式起床的学生数占400人的百分比.

数学理解

15. 下列说法是否正确？为什么？

（1）经过一点可以画两条直线；　　（2）棱柱侧面的形状可能是一个三角形；

（3）长方体的截面形状一定是长方形；　　（4）棱柱的每条棱长都相等.

16. 下面的哪些图形可以折成一个正方体？先想一想，再折一折.

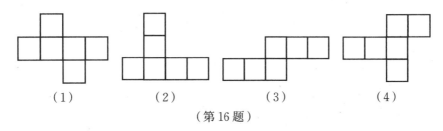

（1）　　　　　（2）　　　　　（3）　　　　　（4）

（第16题）

17. 如果从正面、左面、上面看到一个几何体的形状图都是正方形，那么这个几何体可能是什么形状？

18. 一个几何体由若干大小相同的小立方块搭成，从上面看到的这个几何体的形状图如图所示，其中小正方形中的数字表示在该位置小立方块的个数. 请你画出从正面和从左面看到的这个几何体的形状图.

3		3
1	2	3

（第18题）

19. 小强让小彬随便想一个数，并将此数乘5，加7，然后乘2，再减4，最后将结果告诉他. 他只要将这个结果减10，再除以10，就能知道小彬所想的数. 你知道这是为什么吗？

※20. 三名同学想了解所在城市的小学生是否感觉学习压力大，他们各自提出了自己的调查设想．

甲：周末去公园，随机询问 10 个小学生，就可以知道大致情况了．

乙：我有个弟弟，正在上小学，成绩中等，问问他就可以了解绝大部分学生的感受了．

丙：我妈妈是小学老师，向她询问就可以了．

你觉得这三位同学提出的调查方式，能比较客观地反映"他们所在城市的小学生是否感觉学习压力大"吗？为什么？

21. 甲、乙两公司近年的赢利情况如图所示．

（1）哪家公司近年利润的增长速度较快？

（2）统计图所表现出来的直观情况与上述结果一样吗？如果不一样，你知道其中的原因吗？

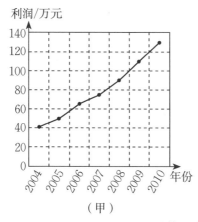 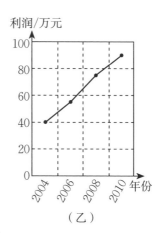

（甲）　　　　（乙）

（第21题）

 问题解决

22. 某大楼地上共有 12 层，地下共有 4 层，请用正负数表示这栋楼每层的楼层号．某人乘电梯从地下 3 层升至地上 7 层，电梯一共升了多少层？

23. 体育课上全班女生进行了百米测验，达标成绩为 18 s．下面是第一小组 8 名女生的成绩记录，其中"+"号表示成绩大于 18 s，"−"号表示成绩小于 18 s．

$$-1, \; +0.8, \; 0, \; -1.2, \; -0.1, \; 0, \; +0.5, \; -0.6.$$

这个小组女生的达标率为多少？平均成绩为多少秒？

24. 冰箱开始启动时内部温度为 $10\,℃$，如果每时冰箱内部的温度降低 $5\,℃$，那么 $3\,h$ 后冰箱内部的温度是多少？

25. 在右图的 9 个方格内填入 5 个 2 和 4 个 −2，使每行、每列、每条对角线上的三个数的乘积都是 8．

（第25题）

26. 随便写出一个十位数字与个位数字不相等的两位数，把它的十位数字与个位数字对调后得到另一个两位数，并用较大的两位数减去较小的两位数，所得差一定能被9整除吗？为什么？

27. 图①是一个三角形，分别连接这个三角形三边的中点得到图②；再分别连接图②中间小三角形三边的中点，得到图③.

    （1）图①、图②、图③中分别有多少个三角形？

    （2）按上面的方法继续下去，第 n 个图形中有多少个三角形？

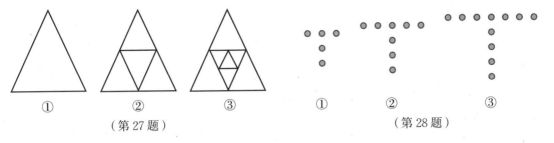

（第27题）　　　　　　　　　　　　（第28题）

28. 用棋子摆成的"T"形图如图所示.

    （1）摆成第1个"T"字需要多少枚棋子？第2个呢？

    （2）按这样的规律摆下去，摆成第10个"T"字需要多少枚棋子？第 n 个呢？

29. 利用一副三角尺能画出下列度数的角吗？如何画？试试看.
$$150°，15°，105°，135°.$$

30. 华氏温度 f（°F）与摄氏温度 c（℃）之间存在着如下的关系：$f=\dfrac{9}{5}c+32$.

    （1）一个人的体温有可能达到100°F吗？

    （2）如果某地早晨的温度为5℃，那么此地早晨的华氏温度是多少？

31. 王强参加了一场3 000 m的赛跑，他以6 m/s的速度跑了一段路程后，又以4 m/s的速度跑完了其余的路程，一共花了10 min. 王强以6 m/s的速度跑了多少米？

32. 有一块棱长为0.6 m的正方体钢坯，想将它锻成横截面是0.008 m^2的长方体钢材，锻成的钢材有多高？

33. 某公司销售甲、乙两种球鞋，去年共卖出12 200双. 今年甲种鞋卖出的量比去年增加6%，乙种鞋卖出的量比去年减少5%，两种鞋的总销量增加了50双. 去年甲、乙两种球鞋各卖了多少双？

34. 有一根竹竿和一条绳子，绳子比竹竿长0.5 m. 将绳子对折后，它比竹竿短了0.5 m. 这根竹竿和这条绳子的长各是多少米？

35. 新春佳节，小明与小颖去看望李老师，李老师用一种特殊的方式给他们分糖. 李老师先拿给小明1块，然后把糖盒里所剩糖的 $\dfrac{1}{7}$ 给他，再拿给小颖2块，又把糖盒里

所剩糖的 $\frac{1}{7}$ 给她. 这样两人得到的糖块数相同. 李老师的糖盒中原来有多少块糖?

36. 一列火车正在匀速行驶, 它先用 26 s 的时间通过了一条长 256 m 的隧道 (即从车头进入入口到车尾离开出口), 又用 16 s 的时间通过了一条长 96 m 的隧道. 求这列火车的长度.

37. 有资料表明, 一粒废旧的纽扣电池大约会污染 60 万升的水. 如果你们学校的每个同学都丢弃一粒纽扣电池, 大约会污染多少升水? 用科学记数法表示这个结果, 并用你熟悉的事物描述它有多少.

38. 制作适当的统计图表示下列数据.

(1) 全世界受到威胁的动物种类数:

动物分类	哺乳类	鸟类	爬行类	两栖类	鱼类	无脊椎动物类
受到威胁的种类数	约1 100	约1 100	约300	约100	约700	约1 900

(2) 对某城市家庭人口数的一次统计结果表明: 2 口人家占 23%, 3 口人家占 42%, 4 口人家占 21%, 5 口人家占 9%, 6 口人家占 3%, 其他占 2%.

(3) 1949 年以后我国历次人口普查情况:

年份	1953	1964	1982	1990	2000	2010
人口/亿	5.94	6.95	10.08	11.34	12.95	13.71

39. 为了调查居民的消费水平, 有关机构对某个地区 5 个街道的 50 户居民的某项消费年支出情况进行了调查, 数据 (单位: 万元) 如下:

1.6	3.5	2.3	6.5	2.2	1.9	6.8	4.8	5.0	4.7	2.3
1.5	3.1	5.6	3.7	2.2	3.3	5.8	4.3	3.6	3.8	3.0
5.1	7.0	3.1	2.9	4.4	5.8	3.8	3.7	3.3	5.2	4.1
4.2	4.8	3.0	4.0	4.6	6.0	2.4	3.3	6.1	5.0	4.9
3.0	3.1	7.2	1.8	5.0	1.9					

将数据适当分组, 并绘制相应的频数直方图.

联系拓广

※40. 分别计算下列三组数和的绝对值与绝对值的和, 比较所得结果, 你发现了什么? 你有什么样的猜想?

（1）2，3；　　　　　　（2）$\dfrac{1}{4}$，-5；　　　　　　（3）-7，$-\dfrac{2}{3}$．

※**41**．（1）计算并填表：

x	1	10	100	1 000	10 000
$\dfrac{2x-10}{x}$					

（2）你有什么发现？

后　记

《北师大版义务教育教科书》由众多国家基础教育课程标准研制组负责人和核心成员、学科专家、教育专家、心理学专家和特级教师参加编写，研究基础深厚、教育理念先进、编写质量上乘、服务水平专业．教材力求反映国家基础教育课程标准精神，重视多种信息资源手段的利用，适当体现最新的学科进展，强调知识、技能与思想方法在实际生活中的应用，贴近学生生活，关注学生的学习过程，满足学生多样化的学习需求，促进每一位学生的全面发展．

《北师大版义务教育教科书·数学》(7～9年级)充分体现数学课程标准的基本理念，以实现课程目标为宗旨，使学生：获得适应社会生活和进一步发展所必需的数学的基础知识、基本技能、基本思想、基本活动经验；用数学的眼光观察世界，体会数学知识之间、数学与其他学科之间、数学与生活之间的联系，运用数学的思维方式进行思考，增强发现和提出问题的能力、分析和解决问题的能力；了解数学的价值，提高学习数学的兴趣，增强学好数学的信心，养成良好的学习习惯，具有初步的创新意识和科学态度．

教材力图向学生提供现实、有趣、富有挑战性的学习素材，为学生提供探索、交流的时间与空间，展现数学知识的形成与应用过程，满足不同学生发展的需求，逐步渗透重要的数学思想方法．

《北师大版义务教育教科书·数学》(7～9年级)编写组成员有(按姓氏笔画排序)：马复、王永会、王建波、史炳星、刘晓玫、江守福、张惠英、胡赵云、顾继玲、章飞、程燕云、綦春霞．

本册教材作者是(按姓氏笔画排序)：叶明亮、杨冬慧、陈怡、凌晓牧、顾继玲、喻汉林、程燕云．

参与本册教材编写修改的人员还有(按姓氏笔画排序)：孔凡哲、王志亮、吕建生、吴勤文、张丹、张安庆、赵永宁、项昭、郭玉峰、高峻．很多实验区的教研员和一线教师也为教材的修改提供了宝贵的意见，在此一并表示感谢！

由于时间仓促，教材中的错误在所难免，恳请使用者批评指正．欢迎来电来函与我们联系：北京师范大学出版社基础教育分社(100875)，(010)58802832，58802795．

北京师范大学出版社